みんなが欲しかった！

中小企業

診断士の

問題集

企業経営理論

財務・会計

運営管理

TAC中小企業診断士講座 編著

上

2025年度版

JN000232

TAC出版

TAC PUBLISHING Group

はじめに

　本試験に合格する力をつけるためには、知識をインプットするだけでなく、アウトプット演習を行うことが必要となります。つまり、知識を「わかる」水準から、「得点できる」水準にまで引き上げなければなりません。本書は、姉妹書の『中小企業診断士の教科書』の完全準拠問題集として、教科書で学んだ知識を、試験に対応できる実践的水準にまで「効率よく高める」ことにとことんこだわり、制作しました。

　本試験で「得点できる」水準にまで知識を高めるには、質のよい問題を、本試験と同一形式で演習することが、最も効果的となります。

　本書は、直近の中小企業診断士第1次試験問題から、TACデータリサーチをもとに、受験生の60％以上が正答できた問題を中心にピックアップし、『中小企業診断士の教科書』のSectionにあわせて編集しています。試験合格に必要な重要ポイントはすべて盛り込んでいます。これらの問題を本試験と同一の実践的な形式で演習することにより、『中小企業診断士の教科書』で学んだ知識を、さらにレベルアップさせていくことが可能となります。

　本書掲載の問題を、隅々まで解きこなし、弱点の克服を図りながら得点力を高め、「合格」を勝ち取っていきましょう。合格発表日には良い結果が出ることを心よりお祈りいたします。

　2024年9月

TAC中小企業診断士講座

本書の特色

　本書は、直近の中小企業診断士第1次試験問題から、試験対策上とくに重要なものをピックアップして収載しています。本書をしっかりこなして、合格レベルの実力をしっかり養ってください。

重要度

　本書の問題には、A、B、Cの3段階で頻出度をもとに重要度を表示しています。Aが最も重要度が高くなっています。

重要度
A　高
B　↑
C　低

問題 **1**　　　　　　　　　　チェック欄▶ 1 ／ ／ 2 ／ ／ 3 ／

重要度 **Ⓐ** 　**業界構造の分析　5 フォース①**　　R元-6改題

「業界の構造分析」の枠組みに基づいて想定される、既存企業間での対抗度に関する予測として、最も適切なものはどれか。

ア　業界の成長率が高いと、製品市場での競合が激化して、業界全体の潜在的な収益性は低くなる。

イ　顧客側で生じるスイッチングコストが高い業界では、製品市場での競合が緩和されて、業界全体の潜在的な収益性は高くなる。

ウ　固定費が高い業界では、製品市場での競合が緩和されて、業界全体の潜在的な収益性は高くなる。

エ　退出障壁が高いと、製品市場での競合が緩和されて、業界全体の潜在的な収益性は高くなる。

チェック欄

　演習は全体を通して数回は繰り返すようにしましょう。各問に付されているチェック欄に日付を書き込んでチェックしていきましょう。

4

過去問番号

　本書は、過去の本試験問題から重要なものを、厳選して掲載しています。過去問番号の見方は次のとおりです。
　H29-1＝平成29年度第1問、R元-1＝令和元年度第1問

『中小企業診断士の教科書』とのリンク

　本書は『中小企業診断士の教科書』の完全準拠問題集です。問題は教科書のSectionにあわせています。教科書を1Section終了した段階で、そのSectionの問題を解いてみるというように、インプット学習とアウトプット演習を並行して行うことが可能です。

解説

ア ✕

　業界の成長率が高いと、自社の成長を図るためには他社から顧客を奪う必要が少ないため、製品市場での競合が激化しにくい。そのため収益性も低くなるわけではない。

イ ○

　顧客側で生じるスイッチングコストが高い業界では、顧客は容易にブランドスイッチを行わないため、企業側は顧客を引き留めるために値下げするといった必要性が相対的に低くなる。よって、製品市場での競合が緩和し、業界全体の潜在的な収益性は高くなる。

ウ ✕

　固定費が高い業界では、販売量を増加させて単位あたりの製造原価を引き下げようとするインセンティブが働く。よって、製品市場での競合は激化し、業界全体の潜在的な収益性は低くなる。

エ ✕

　退出障〇〇〇〇〇〇〇業界において用いられている設備が他の用途に〇〇〇〇〇〇〇〇〇大きな損失が生じるなど、その業界にとどま〇〇〇〇〇〇〇〇〇況である。この場合には、たとえ収益性が低〇〇〇〇〇〇〇〇収するために、低価格販売に打って出る可能〇〇〇〇〇〇〇〇場での競合は激化し、業界全体の潜在的な収〇〇〇〇〇〇〇

正解 イ

👤 講師より

　ポーターの、5フォースモデルにおける既存業者間の敵対関係に関する問題です。5フォースの中では、**既存業者間の敵対関係は特に出題されやすい**ので、ここを重点的に学習しましょう。

こたえかくすシート

　付属のこたえかくすシートで解答・解説を隠しながら学習することができるので、とても便利です。

講師より

　重要ポイントや試験攻略アドバイスなどをまとめています。

5

セパレートBOOK形式

本書は、科目ごとに分解できる「セパレートBOOK形式」を採用しています。対応している『中小企業診断士の教科書』も、同じ科目ごとに分解が可能なため、教科書と問題集を必要な部分だけ、コンパクトに持ち歩けます。

★セパレートBOOKの作りかた★

①白い厚紙から、色紙のついた冊子を抜き取ります。

※色紙と白い厚紙は、のりで接着されています。乱暴に扱いますと、破損する危険性がありますので、ていねいに抜き取るようにしてください。

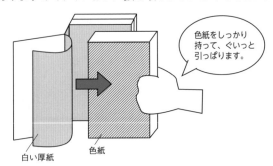

色紙をしっかり持って、ぐいっと引っぱります。

白い厚紙　　色紙

②本体のカバーを裏返しにして、抜き取った冊子にかぶせ、きれいに折り目をつけて使用してください。

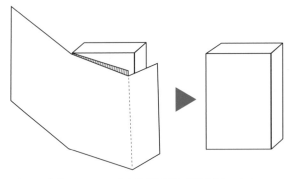

※抜き取るさいの損傷についてのお取替えはご遠慮願います。

続いて、試験についてみていきましょう。

第1次試験

受験資格

年齢、学歴等に制限はなく、**だれでも**受験することができます。

試験日程

試験案内・申込書類の配布期間、申込受付期間	令和6年度は4月25日〜5月29日
試験日	令和6年度は8月3日、4日
合格発表日	令和6年度は9月3日

試験形式、試験科目

第1次試験は、7科目（8教科）、**択一マークシート形式**（四肢または五肢択一式）で実施されます。

試験日程		試験科目	試験時間	配点
第1日目	午前	経済学・経済政策	60分	100点
		財務・会計	60分	100点
	午後	企業経営理論	90分	100点
		運営管理（オペレーション・マネジメント）	90分	100点
第2日目	午前	経営法務	60分	100点
		経営情報システム	60分	100点
	午後	中小企業経営・中小企業政策	90分	100点

合格基準

(1) **総得点による基準**

総点数の**60%以上**であって、かつ、1科目でも満点の40%未満のないことを基準とし、試験委員会が相当と定めた得点比率とされています。

(2) **科目ごとによる基準**

満点の**60%**を基準とし、試験委員会が相当と認めた得点比率とされています。

合格の有効期間

第１次試験合格（全科目合格）の有効期間は**2年間（翌年度まで）**

第１次試験合格までの「科目合格」の有効期間は**3年間（翌々年度まで）**

　※一部の科目のみに合格した場合には、翌年度及び翌々年度の第１次試験の受験
　の際に、申請により当該科目が免除されます（合格実績は、最初の年を含めて、
　3年間有効です）。

　※最終的に、7科目すべての科目に合格すれば、**第１次試験合格**となり、第２次
　試験を受験することができます。

第２次試験（筆記試験、口述試験）

受験資格

第１次試験の合格者とされています。

　※第１次試験に全科目合格した年度と、その翌年度に限り有効です。

　※平成12年度以前の第１次試験合格者で、平成13年度以降の第２次試験を受験し
　ていない場合は、１回に限り、第１次試験を免除されて第２次試験を受験でき
　ます。

試験日程

試験案内・申込書類の配布期間、申込受付期間		令和６年度は８月23日〜９月17日
試験日	筆記試験日	令和６年度は10月27日
	口述試験受験資格発表	令和６年度は令和７年１月15日
	口述試験日	令和６年度は令和７年１月26日
合格発表日		令和６年度は令和７年２月５日

試験形式、試験科目

【筆記試験】

第２次試験の筆記試験は、**4科目**・各設問15〜200文字程度の**記述式**で実施されます。

	試験科目	試験時間	配点
午前	中小企業の診断及び助言に関する実務の事例Ⅰ テーマ：組織（人事を含む）	80分	100点
	中小企業の診断及び助言に関する実務の事例Ⅱ テーマ：マーケティング・流通	80分	100点
午後	中小企業の診断及び助言に関する実務の事例Ⅲ テーマ：生産・技術	80分	100点
	中小企業の診断及び助言に関する実務の事例Ⅳ テーマ：財務・会計	80分	100点

【口述試験】

筆記試験の出題内容をもとに、4〜5問出題され、10分程度の**面接**で実施されます。

合格基準

総点数の**60%以上**であって、かつ、１科目でも満点の40%未満のものがない者であって、口述試験における評定が**60%以上**のものとされています。

試験に関する
お問い合わせ先

一般社団法人　中小企業診断協会（試験係）
〒104-0061 東京都中央区銀座１-14-11 銀松ビル５階
ホームページ　https://www.j-smeca.jp/
TEL 03-3563-0851　FAX 03-3567-5927

TAC出版の診断士本　合格活用術

　「みんなが欲しかった！シリーズ」を中心においた、中小企業診断士試験合格まで
の書籍活用術をご紹介します。合格を目指してがんばりましょう！

第1次試験対策　まずは知識のインプット！

みんなが欲しかった！ 中小企業診断士 合格へのはじめの一歩

合格への第一歩となる書籍

試験の概要、学習プランなどのオリエンテーション
と、科目別の主要論点の入門講義を収載していま
す。フルカラーの豊富なイラスト、板書でスイスイ
学習が進みます！

教科書、問題集は
科目ごとに取り外し
ができます。まずは
1科目ずつ進めてい
きましょう！

みんなが欲しかった！ 中小企業診断士の教科書 全2冊

上：企業経営理論、財務・会計、運営管理
下：経済学・経済政策、経営情報システム、
　　経営法務、中小企業経営・中小企業政策

フルカラーで学ぶ教科書！

本書でまずは合格に必要な基本事項をイン
プットしましょう。

みんなが欲しかった！ 中小企業診断士の問題集 全2冊

上：企業経営理論、財務・会計、運営管理
下：経済学・経済政策、経営情報システム、
　　経営法務、中小企業経営・中小企業政策

「教科書」に準拠した問題集！

過去問から重要問題を厳選収載。合格に必
要な力をしっかり身につけましょう！

第1次試験 → 第2次試験

第1次試験対策 → 第2次試験対策

最速合格のための
第1次試験　過去問題集
全7冊

①企業経営理論、②財務・会計、③運営管理、④経済学・経済政策、⑤経営情報システム、⑥経営法務、⑦中小企業経営・中小企業政策

過去5年分の本試験問題と
丁寧な解説を収載した科目別過去問題集
「中小企業診断士の問題集」をひととおり解き終えたらチャレンジしてみましょう。

最速合格のための
要点整理ポケットブック
全2冊

1日目（経済学・経済政策、財務・会計、企業経営理論、運営管理）
2日目（経営法務、経営情報システム、中小企業経営・中小企業政策）

コンパクトサイズの要点まとめテキスト
第1次試験の日程と同じ科目構成の「要点まとめテキスト」です。試験直前までの最終チェックに最適です。

ポケットブックは、暗記事項の最終チェックにも役立ちます！

最速合格のための
第2次試験　過去問題集

過去5年分の本試験問題を収載
問題の読み取りから解答作成の流れを丁寧に解説しています。抜き取り式の解答用紙付きで実戦的な演習ができる1冊です。

第2次試験
事例IVの解き方

事例IVの解答プロセスが身につく
トレーニング問題集
テーマ別に基本問題・応用問題・過去問を収載。TAC現役講師による解き方を紹介しているので、自身の解答プロセスの構築に役立ちます。

第2次試験
外さない答案への
攻略ロードマップ

「正解」より「プロセス」を重視した
診断士2次試験対策の演習本
演習に加えて、テーマ設定、プロセス確認、出題者の意図の確認、出題者の立場での採点などを行うことにより、2次試験への対応力を高め不合格を回避できる力を身につけることができます。

CONTENTS

第1分冊　企業経営理論

Part 1　経営戦略

Part 2　組織論

Part 3　マーケティング論

【編集執筆者紹介】(50音順)

小口　真和 (こぐち　まわ)

中小企業診断士。一級販売士。関西学院大学卒業後、㈱日経BPにて中小企業向けビジネス情報誌の編集部に所属。その後、外資系出版社を経て、現在はシンクタンクにてCSR、ESG分野のコンサルティングに従事。ほかに、創業・マーケティング支援や研修講師などを行っている。TAC中小企業診断士講座専任講師。

鈴木　伸介 (すずき　しんすけ)

中小企業診断士。早稲田大学理工学部卒業。TAC中小企業診断士講座専任講師。教育サービス企業にて人事・秘書を歴任し、その後、外資系金融機関の営業職を経て、2009年に中小企業診断士資格の取得を機に独立。企業のデータ分析など、数学的な側面からコンサルティングを行っている。

仲田　俊一 (なかた　しゅんいち)

中小企業診断士。千葉大学大学院卒業。広告業界でWEBマーケティングの業務を経て、中小企業診断士として独立。その後、地方公務員として3年ほど勤務。現在では、中小企業だけでなく、自治体のマーケティング支援も行う。インスタ好きが高じて、インスタセミナー依頼が多数。TAC中小企業診断士講座専任講師。

古山　文義 (ふるやま　ふみよし)

中小企業診断士。社会保険労務士。ITコーディネータ。大学卒業後、国内SIerに入社し官公庁系のシステム開発に従事。その後独立し、現在都内を中心に中小企業のコンサルティングやセミナー・研修などの活動をしている。難しいことをやさしく説明することがモットー。TAC中小企業診断士講座専任講師。

松本　真也 (まつもと　しんや)

中小企業診断士。ICU国際基督教大学卒業。芸能プロダクションのアーティストマネージャーとしてキャリアをスタート。その後、Web業界大手に転じ、広告プランナー、人事、経営企画、新規事業開発など幅広く経験を積む。現在は、テクノロジーのわかる診断士として、エンタメ業界やクリエイティブ業界での起業や事業成長をサポートしている。TAC中小企業診断士講座専任講師。

ほか2名

装丁：神田　彩
イラスト：都築めぐみ

みんなが欲しかった！ 中小企業診断士シリーズ

2025年度版
みんなが欲しかった！中小企業診断士の問題集（上）

2024年10月23日 初 版 第1刷発行

編 著 者		ＴＡＣ株式会社
		（中小企業診断士講座）
発 行 者		多 田 敏 男
発 行 所		ＴＡＣ株式会社　出版事業部
		（TAC出版）

〒101-8383
東京都千代田区神田三崎町3-2-18
電 話 03（5276）9492（営業）
FAX 03（5276）9674
https://shuppan.tac-school.co.jp

組 版		株式会社 グ ラ フ ト
印 刷		今 家 印 刷 株 式 会 社
製 本		株 式 会 社 常 川 製 本

© TAC 2024　　Printed in Japan

ISBN 978-4-300-11399-8
N.D.C. 335

サポートサービスを活用しよう!

モチベーションを高める
(将来の選択肢 〜合格者のその後〜)

将来、中小企業診断士に合格して何ができるのか?合格者のその後を取材した記事を読んで合格後の夢を広げてモチベーションを高めましょう!

TAC 診断士とは	検索

https://www.tac-school.co.jp/kouza_chusho/chusho_sk_idx.html

TACのYoutube動画
(得する情報を提供中)

TACでは、Youtubeでも学習法や試験解説、実務家インタビュー等の動画を配信しています。是非、チャンネル登録してチェックしてみてください。

TAC 診断士 youtube	検索

https://www.youtube.com/@tac3644/videos

TAC中小企業診断士講座「第1回目講義」オンライン無料体験!
各コースの「第1回目」の講義が体験できます!

「体験Web受講」では、既にご入会されている受講生と同じWeb学習環境(TAC WEB SCHOOL)にて講義をご視聴いただけます。サンプルテキストを用意していますので、講義とあわせて教材の内容も確認してみてください。

**独学では理解しづらかったり
時間がかかる内容もポイントを押さえて
スムーズに理解できるから短期合格できる**

TAC 診断士 体験	検索

https://www.tac-school.co.jp/kouza_chusho/web_taiken_form.html

中小企業診断士講座のご案内

ストレート合格を目指す!
TACを選ぶメリット。それは"効率性"!

学習効果が高まるよう編成された質の高いカリキュラム・講師・教材で構成されるTACの
コースを受講することで、無理なく実力をつけることができ、効率的に1・2次試験の
ストレート合格を狙えます。

戦略的カリキュラム
INPUT&OUTPUTの連動・繰返し学習が効果的!
ムリ・ムダを省いた必要十分な学習量!

専門校を利用するメリット!

2次試験合格の秘訣
スケールメリットが合格の可能性を高める!
新作演習問題・添削指導も充実!

充実のフォロー体制
安心して学習できる環境を整備!
学習メディア別に充実したサポート!

全科目のINPUT(知識習得)とOUTPUT(問題演習)を組み合わせたオールインワンコース
「1・2次ストレート本科生」「1・2次速修本科生」を開講しています。

2025年合格目標コース ～豊富なコース設定で効率学習をサポート～

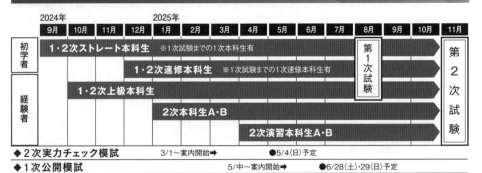

		2024年				2025年										
		9月	10月	11月	12月	1月	2月	3月	4月	5月	6月	7月	8月	9月	10月	11月
初学者		1・2次ストレート本科生 ※1次試験までの1次本科生有											第1次試験			第2次試験
			1・2次速修本科生 ※1次試験までの1次速修本科生有													
経験者		1・2次上級本科生														
			2次本科生A・B													
				2次演習本科生A・B												

◆ 2次実力チェック模試　　3/1～案内開始➡　●5/4(日)予定
◆ 1次公開模試　　5/中～案内開始➡　●6/28(土)・29(日)予定
◆ 2次公開模試　　7/上～案内開始➡　●9/7(日)予定

※模試の会場受験にはお席に制限がございます。2次公開模試の会場受験は本科生のみとなり、単科での申込は自宅受験となります。

≪オプション講座≫　※名称は変更となる場合がございます。日程は予定です。
● 1次重要過去問チェックゼミ(経営・財務・運営・経済)・・▶3/中旬案内開始
● 1次「財務・会計」特訓ゼミ・・・・・・・・・・・・・・▶3/中旬案内開始
● 1次「経済学」解法テクニックゼミ・・・・・・・・・・・▶3/中旬案内開始
● 2次事例IV特訓・・・・・・・・・・・▶8/上旬案内開始
● 2次事例別過去問対策講義・・▶8/上旬案内開始

※詳細は、案内開始時期にTACホームページおよび資料をご請求ください。

TAC中小企業診断士パンフレット

- ・ 戦略的カリキュラム
- ・ 学習メディア・フォロー制度
- ・ 開講コース・受講料
- ・ 無料体験入学のご案内
  など

資格&試験ガイド

- ・ 中小企業診断士の魅了
- ・ 実務家インタビュー
- ・ 試験ガイド
- ・ 学習プラン
  など

TAC合格者の声

祝賀会・東京会場

表面的な理解ではなく、根本から理解をすることができた

「財務・会計」が苦手で1年目に独学で勉強していた際には理解しないまま試験を受けておりました。そこでTACに通学し、わからない箇所を講師の方に聞くことで、表面的な理解ではなく、根本から理解をすることができました。また、講義の中で効率的な勉強方法をご教示いただき、勉強への取り組み方を身につけることができました。TACを選んだ理由は、①生徒数が多く、合格ノウハウが集まっている、②一次試験から二次口述試験までのカリキュラムが組まれているため、試験ごとの情報収集や模試の検討などの手間が省けると感じたからです。

長山 萌音さん

TACを活用し本来行うべき学習に集中して労力を割く

学習開始が12月上旬だったため、1,000時間の逆算が成り立たず、合格の為に効率を求めたこと、初回の受験で全体像を把握しながら学習ができるガイドラインや合格の為のノウハウを徹底的に仕入れたかったため、TACのWeb通信講座を受講しました。講義動画がリリースされるタイミングや、各科目のまとめテストの「養成答練」の提出期限も含め、すべてTACのノウハウに基づいてスケジュール化されています。その為、進度管理には労力をかけず、TACが敷いてくれた時間軸のレールの上で本来行うべき学習に集中して労力を割くことができました。

中尾 文哉さん

中小企業診断士講座のご案内

学習したい科目のみのお申込みができる、学習経験者向けカリキュラム
1次上級単科生(応用+直前編)

- ☐ 必ず押さえておきたい論点や合否の分かれ目となる論点をピックアップ!
- ☐ 実際に問題を解きながら、解法テクニックを身につける!
- ☐ 習得した解法テクニックを実践する答案練習!

カリキュラム ※講義の回数は科目により異なります。

1次応用編 2024年10月～2025年4月		1次直前編 2025年5月～	

1次上級講義
[財務5回／経済5回／中小3回／その他科目各4回]

講義140分/回

過去の試験傾向を分析し、頻出論点や重要論点を取り上げ、実際に問題を解きながら知識の再確認をするとともに、解法テクニックも身につけていきます。

[使用教材]
1次上級テキスト
(上・下巻)
(デジタル教材付)

→INPUT←

1次上級答練
[各科目1回]

答練60分+解説80分

1次上級講義で学んだ知識を確認・整理し、習得した解法テクニックを実践する答案練習です。

[使用教材]
1次上級答練

←OUTPUT→

1次完成答練
[各科目2回]

答練60分+解説80分/回

重要論点を網羅した、TAC厳選の本試験予想問題による答案練習です。

[使用教材]
1次完成答練

←OUTPUT→

1次最終講義
[各科目1回]

講義140分/回

1次対策の最後の総まとめです。法改正などのトピックを交えた最新情報をお伝えします。

[使用教材]
1次最終講義レジュメ

→INPUT←

1次養成答練 [各科目1回] ※講義回数には含まず。
基礎知識の確認を図るための1次試験対策の答案練習です。

配布のみ・解説講義なし・採点あり

←OUTPUT→

1次試験【2025年8月】

さらに! 「1次基本単科生」の教材付き!(配付のみ・解説講義なし)

◇基本テキスト (デジタル教材付)	◇講義サポート レジュメ	◇1次養成答練	◇トレーニング	◇1次過去問題集

開講予定月

◎企業経営理論／10月　◎財務・会計／10月　◎運営管理／10月　◎経済学・経済政策／10月
◎経営情報システム／10月　◎経営法務／11月　◎中小企業経営・政策／11月

学習メディア

📝 教室講座　　　📹 ビデオブース講座　　　🖥 Web通信講座

1科目から申込できます! ※詳細はホームページまたは資料をご請求ください。(右上参照)

TAC出版では、中小企業診断士試験（第1次試験・第2次試験）にスピード合格を目指す方のために、科目別、用途別の書籍を刊行しております。資格の学校TAC中小企業診断士講座とTAC出版が強力なタッグを組んで完成させた、自信作です。ぜひご活用いただき、スピード合格を目指してください。

※刊行内容・刊行月・装丁等は変更になる場合がございます。

基礎知識を固める

▶ みんなが欲しかった!シリーズ

みんなが欲しかった!
中小企業診断士　合格へのはじめの一歩
A5判　8月刊行

- フルカラーでよくわかる、「本気でやさしい入門書」!
- 試験の概要、学習プランなどのオリエンテーションと、科目別の主要論点の入門講義を収載。

みんなが欲しかった!
中小企業診断士の教科書
上:企業経営理論、財務・会計、運営管理
下:経済学・経済政策、経営情報システム、経営法務、中小企業経営・政策
A5判　10～11月刊行　全2巻

- フルカラーでおもいっきりわかりやすいテキスト
- 科目別の分冊で持ち運びラクラク
- 赤シートつき

みんなが欲しかった!
中小企業診断士の問題集
上:企業経営理論、財務・会計、運営管理
下:経済学・経済政策、経営情報システム、経営法務、中小企業経営・政策
A5判　10～11月刊行　全2巻

- 診断士の教科書に完全準拠した論点別問題集
- 各科目とも必ずマスターしたい重要過去問を約50問収載
- 科目別の分冊で持ち運びラクラク

▶ 最速合格シリーズ

科目別 全7巻
① 企業経営理論
② 財務・会計
③ 運営管理
④ 経済学・経済政策
⑤ 経営情報システム
⑥ 経営法務
⑦ 中小企業経営・中小企業政策

最速合格のための
スピードテキスト
A5判　9月～12月刊行

- 試験に合格するために必要な知識のみを集約。初めて学習する方はもちろん、学習経験者も安心して使える基本書です。

科目別 全7巻
① 企業経営理論
② 財務・会計
③ 運営管理
④ 経済学・経済政策
⑤ 経営情報システム
⑥ 経営法務
⑦ 中小企業経営・中小企業政策

最速合格のための
スピード問題集
A5判　9月～12月刊行

- 「スピードテキスト」に準拠したトレーニング問題集。テキストと反復学習していただくことで学習効果を飛躍的に向上させることができます。

受験対策書籍のご案内　　TAC出版

1次試験への総仕上げ

科目別 全7巻
① 企業経営理論
② 財務・会計
③ 運営管理
④ 経済学・経済政策
⑤ 経営情報システム
⑥ 経営法務
⑦ 中小企業経営・中小企業政策

最速合格のための
第1次試験過去問題集

A5判　12月刊行

● 過去問は本試験攻略の上で、絶対に欠かせないトレーニングツールです。また、出題論点や出題パターンを知ることで、効率的な学習が可能となります。

全2巻
1日目
（経済学・経済政策、財務・会計、
企業経営理論、運営管理）

2日目
（経営法務、経営情報システム、
中小企業経営・中小企業政策）

最速合格のための
要点整理ポケットブック

B6変形判　1月刊行

● 第1次試験の日程と同じ科目構成の「要点まとめテキスト」です。コンパクトサイズで、いつでもどこでも手軽に確認できます。買ったその日から本試験当日の会場まで、フル活用してください！

2次試験への総仕上げ

最速合格のための
第2次試験過去問題集

B5判　2月刊行

● 問題の読み取りから解答作成の流れを丁寧に解説しています。抜き取り式の解答用紙付きで実践的な演習ができる1冊です。

**第2次試験
事例Ⅳの解き方**

B5判　**好評発売中**

● テーマ別に基本問題・応用問題・過去問を収載。TAC現役講師による解き方を紹介しているので、自身の解答プロセスの構築に役立ちます。

**第2次試験
外さない答案への
攻略ロードマップ**

B5判　**好評発売中**

● 演習に加えて、テーマ設定、プロセス確認、出題者の意図の確認、出題者の立場での採点などを行うことにより、2次試験への対応力を高め不合格を回避できる力を身につけることができます。

**TACの書籍は
こちらの方法で
ご購入いただけます**

1 全国の書店・大学生協　**2** TAC各校 書籍コーナー　**3** インターネット

CYBER TAC出版書籍販売サイト
BOOK STORE　アドレス https://bookstore.tac-school.co.jp/

・2024年7月現在　・価格等詳細は、決定しだい上記のサイバーブックストアに掲載されますのでご参照ください

書籍の正誤に関するご確認とお問合せについて

書籍の記載内容に誤りではないかと思われる箇所がございましたら、以下の手順にてご確認とお問合せを してくださいますよう、お願い申し上げます。

なお、正誤のお問合せ以外の**書籍内容に関する解説および受験指導などは、一切行っておりません。**
そのようなお問合せにつきましては、お答えいたしかねますので、あらかじめご了承ください。

1 「Cyber Book Store」にて正誤表を確認する

TAC出版書籍販売サイト「Cyber Book Store」の トップページ内「正誤表」コーナーにて、正誤表をご確認ください。

CYBER TAC出版書籍販売サイト
BOOK STORE

URL：https://bookstore.tac-school.co.jp/

2 1の正誤表がない、あるいは正誤表に該当箇所の記載がない ⇒ 下記①、②のどちらかの方法で文書にて問合せをする

★ご注意ください★

お電話でのお問合せは、お受けいたしません。
①、②のどちらの方法でも、お問合せの際には、「お名前」とともに、
「対象の書籍名（○級・第○回対策も含む）およびその版数（第○版・○○年度版など）」
「お問合せ該当箇所の頁数と行数」
「誤りと思われる記載」
「正しいとお考えになる記載とその根拠」
を明記してください。
なお、回答までに１週間前後を要する場合もございます。あらかじめご了承ください。

① ウェブページ「Cyber Book Store」内の「お問合せフォーム」より問合せをする

【お問合せフォームアドレス】

https://bookstore.tac-school.co.jp/inquiry/

② メールにより問合せをする

【メール宛先　TAC出版】

syuppan-h@tac-school.co.jp

※土日祝日はお問合せ対応をおこなっておりません。
※正誤のお問合せ対応は、該当書籍の改訂版刊行月末日までといたします。

乱丁・落丁による交換は、該当書籍の改訂版刊行月末日までといたします。なお、書籍の在庫状況等 により、お受けできない場合もございます。
また、各種本試験の実施の延期、中止を理由とした本書の返品はお受けいたしません。返金もいたし かねますので、あらかじめご了承くださいますようお願い申し上げます。

（2022年7月現在）

第1分冊

企業経営理論

CONTENTS

重要度 **A** 業界構造の分析　**5フォース①**　R元-6改題

「業界の構造分析」の枠組みに基づいて想定される、既存企業間での対抗度に関する予測として、最も適切なものはどれか。

ア　業界の成長率が高いと、製品市場での競合が激化して、業界全体の潜在的な収益性は低くなる。

イ　顧客側で生じるスイッチングコストが高い業界では、製品市場での競合が緩和されて、業界全体の潜在的な収益性は高くなる。

ウ　固定費が高い業界では、製品市場での競合が緩和されて、業界全体の潜在的な収益性は高くなる。

エ　退出障壁が高いと、製品市場での競合が緩和されて、業界全体の潜在的な収益性は高くなる。

ア ✕

業界の成長率が高いと、自社の成長を図るためには他社から顧客を奪う必要が少ないため、製品市場での競合が激化しにくい。そのため収益性も低くなるわけではない。

イ ◯

顧客側で生じるスイッチングコストが高い業界では、顧客は容易にブランドスイッチを行わないため、企業側は顧客を引き留めるために値下げするといった必要性が相対的に低くなる。よって、製品市場での競合が緩和し、業界全体の潜在的な収益性は高くなる。

ウ ✕

固定費が高い業界では、販売量を増加させて単位あたりの製造原価を引き下げようとするインセンティブが働く。よって、製品市場での競合は激化し、業界全体の潜在的な収益性は低くなる。

エ ✕

退出障壁が高くなるのは、その業界において用いられている設備が他の用途に転用できず、撤退してしまうと大きな損失が生じるなど、その業界にとどまらざるを得ない理由がある状況である。この場合には、たとえ収益性が低下したとしても、投資資金を回収するために、低価格販売に打って出る可能性が高くなる。よって、製品市場での競合は激化し、業界全体の潜在的な収益性は低くなる。

 イ

👨‍🏫 講師より

　ポーターの、5フォースモデルにおける既存業者間の敵対関係に関する問題です。5フォースの中では、**既存業者間の敵対関係は特に出題されやすい**ので、ここを重点的に学習しましょう。

5

重要度 **Ⓑ** 業界構造の分析　５フォース② R2-3改題

　「業界の構造分析」の枠組みに基づいて考えられる、売り手（サプライヤー）と買い手（顧客）との間での交渉力に関する記述として、最も適切なものはどれか。

ア　新たな企業が売り手として参入できる場合には、新規参入が不可能な場合と比べて、売り手に対する買い手の交渉力は低下する。

イ　ある売り手が供給する製品と他社の競合製品との間での互換性が高い場合には、互換性が低い場合と比べて、売り手に対する買い手の交渉力は低下する。

ウ　ある売り手が供給する製品を買い手が他社の競合製品に切り換える際に、買い手がその製品の使用方法を初めから学び直す必要がある場合には、その必要がない場合と比べて、買い手に対する売り手の交渉力は低下する。

エ　売り手が前方統合できる場合には、前方統合が不可能な場合と比べて、売り手に対する買い手の交渉力は低下する。

ア　✕

　新たな企業が売り手として参入できるというのは、参入障壁が低いということである。つまり、売り手としては同業他社（ライバル企業）が多いため、顧客（買い手）側のほうが優位に取引を行うことが可能である。

イ　✕

　ある売り手が供給する製品と他社の競合製品との間での互換性が高いということは、取り換えがきくということである。この場合には、買い手側にとっては、特定の売り手からしか調達できないわけではないため、買い手側のほうが優位に取引を行うことが可能である。

ウ　✕

　ある売り手が供給する製品を買い手が他社の競合製品に切り替える際に、買い手がその製品の使用方法をはじめから学び直す必要がある場合とは、買い手にとってスイッチングコストが高い状況である。この場合、買い手は、その特定の売り手の製品を購入し続けることを望むため、売り手側のほうが優位に取引を行うことが可能である。

エ　○

　前方統合とは、原材料の生産から製品の販売に至る業務を垂直的な流れと見て、製品販売に近い方を川下とした際に、自社にとって川下方向の企業を統合するということである。つまり、買い手にとっては、同業者が統合される。このようなことが生じると、買い手はその売り手を失うことになり、売り手側のほうが優位に取引を行うことが可能である。

正解　エ

👤 **講師より**

　ポーターの5フォースモデルの売り手と買い手の交渉力の問題です。企業は依存度を下げたりして、相手の交渉力を低下させようとします。**どんな時に相手の交渉力が高まるのか**をしっかりと理解することが、問題を解くうえで重要となります。

重要度 **B** 競争回避の戦略① 規模の経済　H29-8

規模の経済は、モノづくりをする企業にとって重要である。規模の経済を説明する記述として、最も適切なものはどれか。

ア 売り上げの増大をもたらすように複数の製品を組み合わせて生産するようにする。

イ 買い手にとって購入価値が高まれば販売数が増大するので、製品の普及度に注目してクリティカルマスを超えるようにマーケティング組織の規模を維持する。

ウ 現有製品の特性を分析し直し、製品の構成要素の機能や性能を向上させて、新たな経済価値を付与した製品の生産を行う。

エ 産出量の増大に伴って1単位当たりの製品を産出する平均費用を低下させるべく、一度に数多くのアウトプットを産出するようにする。

オ 累積生産量を増やして単位当たりのコストを下げるようにする。

ア　✕

　規模の経済は、複数の製品を組み合わせて生産することによって得られる概念ではない。

イ　✕

　クリティカルマスとは、ある商品やサービスが爆発的に普及するために、最小限必要とされる市場普及率のことである。これを超える市場普及率を実現するのであれば、マーケティング組織の規模は拡大していくことが必要になる。

ウ　✕

　新たな経済価値を付与した製品を生み出していくということは、既存の製品とは異なる製品ということである。よって、規模の経済による効果を得るという点においては適切とはいえない。

エ　○

　規模の経済性の特徴である。

オ　✕

　規模の経済は、大規模な生産体制を構築することによって得ることができる「静的」なものである。累積生産量を増やして単位あたりのコストを下げることができるのは、「動的」なものである経験曲線効果である。

 正解　エ

👨‍🏫 講師より

　規模の経済は、毎年のように出題される頻出論点です。本問は、規模の経済の特徴を直接的に聞いている問題です。他の論点と合わせて出る場合も多いです。しっかりと理解してください。

重要度 **B** 競争回避の戦略② 規模の経済と経験曲線効果

R元-7改題

経験効果や規模の経済に関する記述として、最も適切なものはどれか。

ア 経験効果に基づくコスト優位を享受するためには、競合企業を上回る市場シェアを継続的に獲得することが、有効な手段となり得る。

イ 生産工程を保有しないサービス業では、経験効果は競争優位の源泉にならない。

ウ 中小企業では、企業規模が小さいことから、規模の経済に基づく競争優位を求めることはできない。

エ 同一企業が複数の事業を展開することから生じる「シナジー効果」は、規模の経済を構成する中心的な要素の1つである。

解説

ア ○

経験効果（経験曲線効果）に基づくコスト優位は、累積生産量を増加させることで享受することができる。よって、競合企業を上回る市場シェアを継続的に獲得することができれば、おのずと累積生産量を増加させていくことができるため、有効な手段となり得る。

イ ✕

生産工程を保有しないサービス業であっても、サービスを作り出す（生産する）スキルは経験を積むことで高まる。よって、経験効果が競争優位の源泉になり得る。

ウ ✕

規模の経済に基づく競争優位は、企業規模が大きいほうが求めやすいのは事実であるが、だからといって、中小企業にとってそれができないといい切れるものではない。

エ ✕

「シナジー効果」は、同一企業が複数の事業を展開することから生じる事業間の相乗効果である。規模の経済とは、企業の規模や生産量が増大することによってコスト効率が高まるものであり、通常は特定の事業に特化することで得られる効果である。シナジー効果は、必ずしもコスト効率が向上するという要素を包含した概念でもない。よって、シナジー効果は規模の経済を構成する中心的な要素のひとつというわけではない。

正解 ア

講師より

規模の経済と経験曲線効果は、どちらも重要なワードです。いずれもコストを下げる方法のため、それぞれのイメージがあやふやになってしまう受験生が多いです。似ているワードだからこそ、**それぞれの特徴を比較して**理解しましょう。比較することでそれぞれの特徴のイメージが頭に残りやすくなります。

重要度 Ⓑ 競争優位の戦略① 価値連鎖（バリューチェーン）

H28-8

競争優位の源泉を分析するには、バリュー・チェーン（価値連鎖）という概念が有効である。バリュー・チェーンに関する記述として、最も適切なものはどれか。

ア 差別化の効果は、買い手が認める価値と、自社のバリュー・チェーンのなかで作り出した特異性を生み出すためのコストが同水準になった時に最大化する。

イ バリュー・チェーン内で付加価値を生み出していない価値活動に関して、アウトソーシングなどによって外部企業に依存する場合、企業の競争力を弱めてしまう。

ウ バリュー・チェーンの各々の価値活動とともに、それらの結び付き方は、企業の独特な経営資源やケイパビリティとして認識することができる。

エ バリュー・チェーンの全体から生み出される付加価値は、個別の価値活動がそれぞれ生み出す付加価値の総和であり、各価値活動の部分最適化を図っていくことが、収益性を高める。

ア　✕

同水準であれば、作り出した特異性によって差別化が実現できていたとしても、企業にとっては、少なくとも定量的にはその効果は生じていないということになる（当然、最大化はしていない）。

イ　✕

バリューチェーン内で付加価値を生み出していない価値活動に関してはアウトソーシングを活用し、自社のコアであり、付加価値を生み出す活動に注力することで、経営資源を有効活用して競争優位の源泉を構築することも可能である。

ウ　○

バリューチェーンを構成する各々の価値活動が密接に結びつくことは模倣困難性を生じさせることになる。

エ　✕

バリューチェーン全体として生み出される付加価値は、個別の価値活動がそれぞれ生み出す付加価値の単純な総和ではなく、それ以上のものになるということである。また、このような組み合わせによって価値を生み出すには、活動全体で価値を生み出すことを志向するため、全体最適化を図っていくことが重要であり、それによって収益性が高まることになる。

 　ウ

講師より

　価値連鎖（バリューチェーン）の問題です。ここも頻出論点ですが、イメージがつかみづらい受験生も多いところです。まずは**全体像とメリット**をつかむところから始めてください。

重要度 C　競争優位の戦略②　競争地位別戦略

　業界での競争地位によって、企業はリーダー、チャレンジャー、フォロワー、ニッチャーに分類できる。そのなかで、チャレンジャーとニッチャーに関する記述として、最も適切なものはどれか。

ア　チャレンジャーは、業界で生き残ることを目標に、購買の動機として価格を重視するセグメントをターゲットにし、徹底的なコストダウンを行い、代替品を低価格で提供していく戦略を採る。

イ　チャレンジャーは、市場全体をターゲットとするフル・カバレッジにより、リーダーの製品を模倣していく戦略を採る。

ウ　チャレンジャーは、リーダーに対する価格・製品・プレイス・プロモーションという4Pの差別化よりも、ドメインの差別化を行う。

エ　ニッチャーは、狭いターゲットに対して、業界の価格競争には巻き込まれないように閉鎖型の販売チャネルを採用して、媒体を絞り込んだプロモーションを展開する。

オ　ニッチャーは、自社が属する業界のライフサイクルの導入期に活動が活発になり、他社の行動を追随する同質化を推進し、市場全体の規模を広げる役割を担っている。

ア ✕

本肢の記述はフォロワーに関する内容である。フォロワーはリーダーが提供している製品の低価格帯の代替品を提供することで生存を図っていくことになる。

イ ✕

チャレンジャーの対象市場は、フル・カバレッジよりもやや絞り込んだセミ・フルカバレッジであるのが定石である。また、採用する戦略は、リーダーの製品の模倣ではなく、リーダーとの差別化である。

ウ ✕

チャレンジャーは、リーダーと差別化を図って市場シェアを奪い、リーダーとなることを戦略目標とする。リーダー企業から顧客を奪うことを志向することから、ドメイン（事業領域）についてはおおむね同様であると考えることができる。よって、顧客を奪うために、価格・製品・プレイス・プロモーションといったマーケティングの4Pなどの面で差別化を図っていくことになる。

エ ○

ニッチャーの特徴である。

オ ✕

業界のライフサイクルの導入期においては、消費者ニーズの多様化が進展していない。よって、ニッチ市場が存在しないため、ニッチャーとしての戦略行動が活発になる段階ではない。また、他社の行動を追随する同質化を推進するのはフォロワーである。さらに、市場全体の規模を広げる役割を担うのはリーダーである。

講師より

正解　エ

競争地位別戦略の問題です。今回はチャレンジャーとニッチャーのみの出題でしたが、リーダーとフォロワーの特徴も知っていないと解きづらい問題になっています。**4つの特徴を整理**してきちんと覚えましょう。

重要度 Ⓐ **ドメイン①** R5-1

ドメインに関する記述として、最も適切なものはどれか。

ア PPMを用いた事業間の資源配分の決定を基に、企業ドメインが決定される。

イ 企業ドメインには、多角化の広がりの程度、個別事業の競争戦略の方針、差別化の在り方および日常のオペレーションといった内容が含まれる。

ウ 経営者は事業間でシナジー効果がどれくらい働くのかを考えて、企業ドメインを決定する。

エ 事業ドメインには、部門横断的な活動や他の事業分野との関連性、将来の企業のあるべき姿や経営理念といった内容が含まれる。

ア ✗

PPMを用いた事業間の資源配分と企業ドメインの決定の順番が逆である。

× PPMで事業間の資源配分→企業ドメインの決定

○ 企業ドメインの決定→PPMで事業間の資源配分

企業ドメインとして全体の事業領域を決めた後に、事業ごとにどのように資源配分を行うかをPPMで決めていく。

イ ✗

個別事業の競争戦略の方針、差別化のあり方および日常のオペレーションなどは、企業が展開する特定の（1つの）事業の範囲を規定するものである事業ドメインによって規定される要素である。

ウ ○

企業ドメインは企業全体としての事業領域を定めるものであるため、事業間のシナジー効果がどのくらい働くかは直接関連することになる。

エ ✗

選択肢イの解説でも述べたとおり、事業ドメインは特定の事業の範囲を規定するものであるが、部門横断的な活動や他の事業分野との関連性、将来の企業のあるべき姿や経営理念といった内容は、企業全体として設定するものである（企業ドメインと直接関連する）。

 正解 ウ

講師より

ドメインの問題で一番頻出なのが、今回のような「企業ドメインと事業ドメインの違いを問う」問題です。解説にも書きましたが、**企業全体としての事業領域が企業ドメイン、特定事業の事業領域が事業ドメイン**です。企業ドメインと事業ドメインのそれぞれの特徴をおさえるのも大事ですが、それぞれの**違い**も頭の中にイメージができるようにしましょう。

重要度 **A** ドメイン②

R元-1

多角化して複数の事業を営む企業の企業ドメインと事業ドメインの決定に関する記述として、最も適切なものはどれか。

ア 企業ドメインの決定は、個々の事業の定義を足し合わせるのではなく、外部の利害関係者との間のさまざまな相互作用の範囲を反映し、事業の定義を見直す契機となる。

イ 企業ドメインの決定は、新規事業進出分野の中心となる顧客セグメント選択の判断に影響し、競争戦略策定の出発点として差別化の基本方針を提供する。

ウ 事業ドメインの決定は、将来手がける事業をどう定義するかの決定であり、日常のオペレーションに直接関連し、全社戦略策定の第一歩として競争戦略に結び付ける役割を果たす。

エ 事業ドメインの決定は、多角化の広がりの程度を決め、部門横断的な活動や製品・事業分野との関連性とともに、将来の企業のあるべき姿や経営理念を包含している存続領域を示す。

オ 事業ドメインの決定は、特定市場での競争戦略に影響を受け、将来の事業領域の範囲をどう定義するかについて、企業が自らの相互作用の対象として選択した事業ポートフォリオの決定である。

ア ○

本肢の記述は企業ドメインについての内容である。

イ ×

本肢の記述は、事業ドメインについての内容である。エーベルの３次元枠組みのうちの「顧客層」のことであり、これは事業ドメインの決定によって規定される。また、競争戦略の出発点として差別化の基本方針を提供するのも事業ドメインの決定によってである。

ウ ×

「事業ドメインの決定＝将来手がける事業をどう定義するかの決定」ではない。また後半の記述「全社戦略策定の第一歩」は全社レベルで行うことであるので、企業ドメインについてである。

エ ×

多角化の広がりの程度を決めること、部門横断的な活動や製品・事業分野との関連性、将来の企業のあるべき姿や経営理念を包含している存続領域を示すのも、すべて全社レベルで行うことである。つまり、企業ドメインの決定によって決めるものである。

オ ×

後半の記述の「事業ポートフォリオの決定」は、企業が展開する事業の組み合わせであるため、これを決定するのは企業ドメインである。

 正解　ア

👨‍🏫 **講師より**

　本問も「**企業ドメインと事業ドメイン**」の論点についてです。それぞれに理解していても、選択肢の独特の言葉使いに振り回されて判断に迷いが出てきてしまう人も多いかと思います。そのためには**慣れ**が必要です。慣れるためにも過去問はたくさん解きましょう。

G.ハメルとC.K.プラハラードによるコア・コンピタンスに関する記述として、最も適切なものはどれか。

ア コア・コンピタンスは、企業内部で育成していくものであるため、コア・コンピタンスを構成するスキルや技術を使った製品やサービス間で競争が行われるものの、コア・コンピタンスの構成要素であるスキルや技術を獲得するプロセスで企業間の競争が起きることはない。

イ コア・コンピタンスは、企業の未来を切り拓くものであり、所有するスキルや技術が現在の製品やサービスの競争力を支えていることに加えて、そのスキルや技術は将来の新製品や新サービスの開発につながるようなものであることが必要である。

ウ コア・コンピタンスは、顧客が認知する価値を高めるスキルや技術の集合体であるから、その価値をもたらす個々のスキルや技術を顧客も理解していることが必要である。

エ コア・コンピタンスは、他の競争優位の源泉となり得る生産設備や特許権のような会計用語上の「資産」ではないので、貸借対照表上に表れることはなく、コア・コンピタンスの価値が減少することもない。

ア ✕

コア・コンピタンスの構成要素であるスキルや技術を獲得するプロセス
で、企業間の競争は十分に起きる。この競争に打ち勝ち、価値の高いコ
ア・コンピタンスを構築した企業が競争優位を構築するというものである。

イ ○

本肢の記述はコア・コンピタンスについての記述である。

ウ ✕

コア・コンピタンスの価値をもたらす個々のスキルや技術まで、顧客が
理解していることが必要なわけではない。コア・コンピタンスそのもの
は、模倣困難性の高さも条件となっているように、その具体的な競争力の
源泉は、むしろ企業外からは把握するのが困難なものである。

エ ✕

コア・コンピタンスが特許の要件を満たすのであれば、自家創設とし
て、調査、研究、発明などに支出した額が計上される可能性はゼロではな
い。かつ、コア・コンピタンスの価値が減少することはあり得る。特定の
コア・コンピタンスが、時間を経ても同じ経済的価値を生み出し続けるこ
とは困難だからである。

 正解 イ

講師より

コア・コンピタンスについての問題です。選択肢の言葉使いが難しいですが、コア・
コンピタンスの３つの要件をもとにイメージをつかめていれば、十分に得点できる問題
です。コア・コンピタンスは特に出題頻度が高い重要ワードですので、しっかり勉強し
ましょう。

重要度 Ⓐ リソースベースドビュー② VRIO分析

R5-2

　J.B.バーニーが提唱した「VRIOフレームワーク」に則った記述として、最も適切なものはどれか。

ア 外部環境の機会を適切に捉えた価値がある経営資源であれば、業界内において希少でなくても、持続的な競争優位の源泉となる。

イ 価値があり、業界内において希少で、別の経営資源で代替される可能性が少ない経営資源を保有していても、それが組織体制とコンフリクトを起こすようであれば、組織体制を変更せずに経営資源を見直さなければならない。

ウ 価値が高く、業界内で希少な経営資源では、一時的な競争優位を得ることはできない。

エ 業界内で模倣困難かつ希少で価値ある経営資源を有していても、競争優位性を持続的に確立できないことがある。

ア　✕

　　経営資源が外部環境の機会を適切に捉えた価値があるものであったとしても、業界内において希少でないということは、同業他社もその経営資源を有している。よって、持続的な競争優位の源泉とはならない。

イ　✕

　　価値があり、業界内において希少で、別の経営資源で代替される可能性が少ない（模倣困難性が高い）経営資源は、VとRとIを満たした経営資源であり、持続的な競争優位の源泉となり得る。

　　しかしながら、経営資源（それ）が組織体制とコンフリクトを起こすのであれば、有効に活用することができず、持続的な競争優位を築くことができない。経営資源と組織体制を適合させることが必要で、通常は見直す必要があるのは経営資源ではなく組織体制である。そもそも、せっかく価値、希少性、模倣困難性を有した経営資源を有しているのにもかかわらず、その経営資源を見直してしまっては、競争優位を築くことができなくなってしまう。

ウ　✕

　　価値が高く、業界内で希少な経営資源は、経済的価値を生み出すことができるものであり、かつ同業他社が現時点においては有していないものである。よって、一時的な競争優位を得ることができる（その源泉となり得る）。

エ　〇

　　業界内で模倣困難かつ希少で価値ある経営資源とはVRIを満たした経営資源であり、持続的な経営資源になり得る。しかしながら、選択肢**イ**の解説でも述べたとおり、組織がこの経営資源を有効に活用できない状態にあれば、実際に競争優位性を持続的に確立することができない。

 正解　エ

講師より

　　VRIO分析の問題です。VRIO分析の問題では「一時的な競争優位性の源泉」と「持続的な競争優位性の源泉」はよく出題されます。それぞれが、どのような条件を満たすと源泉になるのかを整理しておきましょう。

重要度 **B** 製品＝市場マトリクス① 多角化 R3-1

多角化に関する記述として、最も適切なものはどれか。

ア 企業における多角化の程度と収益性の関係は、その企業が保有する経営資源にかかわらず、外部環境によって決定される。

イ 情報的経営資源は、複数の事業で共有するとその価値が低下するため、多角化の推進力にはならない。

ウ 多角化の動機の１つとして、社内に存在する未利用資源の活用があげられる。

エ 多角化は規模の経済を利用するために行われる。

ア　✕

　企業における多角化の程度と収益性の関係は、その企業が保有する経営資源などの内部環境も考慮する必要がある。外部環境だけで決定されるわけではない。

イ　✕

　情報的経営資源の特徴として、多重利用が可能な点や使用による減耗がほぼない点があげられる。加えて、使用されることで洗練されて価値が向上したり、他の情報と結びつくことでより高度な情報が発生したりするなどの効果も見られるため、近年では情報的経営資源がシナジー効果の発生原因として重要視されている。よって、複数の事業で共有するとその価値が低下するわけではなく、むしろ価値が高まり、多角化の推進力になる。

ウ　○

　企業が多角化を行う動機としては、①既存事業の長期的な停滞、②リスク分散、③未利用資源の有効活用、④範囲の経済、⑤多角化の合成効果などがあげられる。企業は事業活動において、常にヒト・モノ・カネ・情報といった経営資源の余剰を蓄積している。このような余剰（未利用）資源が有効に活用できるのであれば、それは企業が多角化を行う動機の１つとなる。

エ　✕

　規模の経済は、特定のものに特化することで経済的な効果が得られる概念である。多角化は複数の事業を展開することであるため、規模の経済を利用するために行われるものではない。

正解　ウ

講師より

　多角化の問題です。教科書でも述べていますが、多角化戦略は新たな製品・市場に進出するため、他の戦略と比べてリスクが高くなります。ではなぜ企業はリスクが高い多角化を行うのでしょうか？　多角化戦略を展開する５つの理由を理解しましょう。

重要度 **B** 製品＝市場マトリクス② シナジー H26-5

シナジー効果に関する記述として、最も適切なものはどれか。

ア 動的なシナジーよりも静的なシナジーをつくり出せるような事業の組み合わせの方が望ましい。

イ 範囲の経済の効果とは別個に発生し、複数事業の組み合わせによる費用の低下を生じさせる。

ウ 複数事業の組み合わせによる情報的資源の同時多重利用によって発生する効果を指す。

エ 複数の製品分野での事業が互いに足りない部分を補い合うことで、企業全体として売上の季節変動などを平準化できる。

解説

ア ✕

　シナジーを、その効果が時間に依存するものか否かで分類すると、依存しないものを静的なシナジー、依存するものを動的なシナジーという。動的なシナジーは、効果が表れるのが長期間にわたることになり、企業の成長に与える影響が大きくなるので望ましい。

イ ✕

　範囲の経済とシナジーは、共に複数の要素（事業）の組み合わせによって効果が生じるものであることから同時に発生することも多く、別個に発生するわけではない。

ウ ○

　シナジー効果は複数事業を展開する際に、経営資源の展開パターンによって得られるものである。また、その効果は特に情報的資源の同時多重利用の場合に大きくなる。

エ ✕

　複数の製品分野が売上を補い合うことによって企業全体の受注の平準化が実現するのは、相補効果が生じている状況である。

 正解　ウ

🧑‍🏫 講師より

　毎年出題される重要な論点です。本問は**シナジー**そのものが直接的に出題されたものですが、シナジーは他の論点との相性が良いため、**他の論点と一緒に出題される**場合があります（問題4参照）。そのため、ただ覚えるのではなく、頭の中でしっかりとイメージできないと得点することが難しいです。今回の問題にもある「相補効果」や「範囲の経済」のような似ている用語と比較して学習すると、よりイメージがしやすくなります。

重要度 Ⓒ **製品ライフサイクル** H26-1

市場の成熟期を迎えた製造業の企業は、これまでの経営戦略を見直し、成熟段階にふさわしい戦略をとることが重要になる。成熟期の戦略に関する記述として、最も適切なものはどれか。

ア 買い慣れた顧客が増えて、市場シェアを巡る競争は緩和するので、ブランド戦略を追求する。

イ 市場での競争が緩和するので、市場シェアの拡大のために生産や販売の分野に積極的な追加投資をすることが効果的になる。

ウ 市場や技術はほぼ安定するので、競争の重点をコストとサービスに置くようにする。

エ 通常、成熟期に向かうにつれて流通業者のマージンが減少し、撤退する流通業者が増えるので、製造業企業は強くなった交渉力を活かして流通支配力の強化を図る戦略を狙う。

オ 転用のきかない経営資産は、帳簿価格が清算価値を上回っていれば売却してキャッシュフローの増大を図る。

ア ✗

市場が成熟期を迎えた段階では、新規顧客が増加しないため、市場シェアを巡る競争は激化することになる。

イ ✗

成熟期においては選択肢**ア**でも述べたとおり、市場シェアを巡る競争は激化した状態になる。しかしながら、市場成長率は停滞するため、大幅な生産量や売上の拡大は見込めず、生産や販売の分野に積極的な追加投資は行われなくなる。

ウ ◯

成熟期の段階においては、市場や技術はほぼ安定し、競争の重点がコストや（付随的な）サービスなどにシフトしてくることになる。

エ ✗

成熟期に向かうにつれ、流通業者にとって、その製品の重要度は相対的に低下し、流通業者側の製造業者側に対する交渉力が高まることになる。その結果、流通業者のマージンはむしろ増加する可能性が高い。

オ ✗

転用のきかない経営資産ということは、たとえば、現状の事業でしか活用ができない設備といったものである。この資産の売却が効果的（キャッシュフローの増大を図れる）なのは、清算価値が帳簿価格を上回っている場合である。

 正 解　ウ

講師より

製品ライフサイクルは、PPMやマーケティングの理解を深めるうえでも重要な論点です。製品ライフサイクルは、**導入期から衰退期までの流れ**と、**それぞれの時期の特徴**をしっかりと頭にイメージできるようにしましょう。

重要度 Ⓐ **PPM(プロダクト・ポートフォリオ・マネジメント) ①**

H29-2

プロダクト・ポートフォリオ・マネジメント (PPM) に関する記述として、最も適切なものはどれか。

ア 衰退期に入った業界の「金のなる木」事業と「負け犬」事業は可及的速やかに撤退し、成長率の鈍化した業界の「花形商品」事業の再活性化に多くのキャッシュを投入することが重要である。

イ 成長市場で競争優位の実現を期待できる「問題児」の選択と、競争優位性を期待できないが資金流出の小さい「負け犬」事業の中で市場成長率が低くとも高収益事業を選別することは重要である。

ウ プロダクト・ポートフォリオ・マネジメントの考え方では、資金の流入は自社事業の成長率と市場の成長率、資金の流出は自社事業の競争上の地位 (相対的な市場シェア) で決まる。

エ プロダクト・ポートフォリオ・マネジメントの考え方は、事業間のマーケティングや技術に関するシナジーを考慮して、複数事業に対して財務面を重視した資金の再配分のガイドラインとなる。

オ プロダクト・ポートフォリオ・マネジメントの考え方は、自社技術開発、外部技術の導入、外部資金の再配分により、範囲の経済を達成して競争優位性を構築する業界に適用できる。

ア ✕

　「金のなる木」事業は、市場成長率は低い状態ではあるが、可及的速や
かに撤退する事業ではない。また、「負け犬」事業についても、資金の流
入は少ないものの、資金の流出も少ないため、高収益であることもあるの
で、「負け犬」事業だからといって、すべて可及的速やかに撤退するとい
うわけではない。

　さらに、「花形商品」事業は、市場成長率の高い事業であるため、再活
性化を図るという段階でもない。

イ ◯

　PPMの特徴である。

ウ ✕

　PPMは、「市場成長率」と「相対的市場占有率（自社事業の競争上の地位、
相対的な市場シェア）」という２軸によって４つの象限に分けるフレームワ
ークである。そのため、自社事業の成長率は無関係である。

エ ✕

　PPMの問題点として、事業間のシナジーといった質的な面での評価が
軽視されやすいというものがある。そのため、事業間のマーケティングや
技術に関するシナジーは考慮されていない。

オ ✕

　PPMは、自社技術開発、外部技術の導入、外部資金の再配分といった
ことによる範囲の経済を想定しているものではないため、それが競争優位
性の源泉になるような業界で適用することは困難である。

 イ

講師より

　PPMは各カテゴリの特徴も大事ですが、**PPMの問題点**も出題されやすいです。問題
点もしっかりと学習しましょう。

重要度 **Ⓐ** PPM(プロダクト・ポートフォリオ・マネジメント) ②

R3-2

ボストン・コンサルティング・グループ（BCG）が開発した「プロダクト・ポートフォリオ・マネジメント」（以下「PPM」という）と、その分析ツールである「プロダクト・ポートフォリオ・マトリックス（BCG成長－シェア・マトリックス）」に関する記述として、最も適切なものはどれか。

ア PPMの分析単位である戦略事業単位（SBU）は、製品市場の特性によって客観的に規定される。

イ 「プロダクト・ポートフォリオ・マトリックス」では、縦軸に市場成長率、横軸に戦略事業単位（SBU）の売上高をとり、その2次元の座標軸の中に各事業が位置付けられる。

ウ 「プロダクト・ポートフォリオ・マトリックス」において「金のなる木」に分類された事業は、将来の成長に必要な資金を供給する。

エ 「プロダクト・ポートフォリオ・マトリックス」において「花形」に分類された事業は、生産量も大きく、マージンは高く、安定性も安全性も高い。

オ 「プロダクト・ポートフォリオ・マトリックス」において「問題児」に分類された事業からは撤退すべきである。

ア ✕

　PPMの分析単位である戦略事業単位（SBU）は、文字どおり企業の戦略として、何を分析単位とするべきであるかによって決定される。よって、製品市場の特性によって客観的に規定されるのではなく、企業側の戦略に基づき、主観的に規定される。

イ ✕

　縦軸に市場成長率、横軸に相対的市場占有率をとり、その2次元の座標軸の中に各事業単位が位置付けられる。

ウ ○

　正しい記述である。

エ ✕

　「花形」は、市場成長率と相対的市場占有率がともに高い。よって、生産量は大きい可能性が高い。しかしながら、資金流入と資金流出がともに多いことから、マージンは高くない。そして、プロダクト・ポートフォリオ・マトリックスは、**イ**で述べたようなシンプルなツールであり、安定性や安全性の高さについて示唆するツールではない。

オ ✕

　「問題児」は、市場成長率が高く、相対的市場占有率が低いポジションのため、資金流出が多く資金流入が少ないことからキャッシュフローがマイナスである。しかし、PPMでは、現在キャッシュを稼ぎ出すことができる「金のなる木」だけを有する事業ポートフォリオとするのではなく、将来の「金のなる木」の候補である「花形」や「問題児」を育成していくことが求められる。つまり、「問題児」は育成していく事業であるため、撤退すべきというわけではない。

正解　ウ

講師より

　PPMは、**イ**の解説にもあるように、縦軸に市場成長率、横軸に相対的市場占有率という2軸によって4つのカテゴリに分けるフレームワークです。4つのカテゴリだけでなく、この2つの軸もしっかりと押さえましょう。

重要度 Ⓐ 外部組織との連携

M&Aや戦略的提携に関する記述として、最も適切なものはどれか。

ア 異業種間のM&Aでは、自社の必要としない資源までも獲得することがあり非効率が生じやすいが、規模の経済のメリットを享受できる。

イ 戦略的提携では、パートナーが裏切る可能性があり、それを抑制するために事前にデューデリジェンスを行うことが必須である。

ウ 戦略的提携では、パートナーに開示する情報を選択することを通じて、パートナーの学習速度に影響を与えることができる。

エ 同業種間のM&Aは、範囲の経済と習熟効果の実現というメリットがあることから、異業種間のM&Aに比べて統合コストは低い。

解 説

ア ✕

異業種間のM＆Aでは、自社の必要としない資源までも獲得することがあり非効率が生じやすいことは正しい。規模の経済は、特定のことに特化し、文字通り規模が大きくなることによって経済効率が高まることであるため、これがメリットとして享受できるのは同業種間のM＆Aである。

イ ✕

戦略的提携の際にデューデリジェンスを行ったからといって、パートナーの裏切りが抑制できるわけではなく、デューデリジェンスが必須というわけでもない。

ウ ○

戦略的提携は、契約に基づいて複数企業が協力関係を結んで事業を展開するものである。そのため、程度の差こそあれ互いに自社が有している情報的経営資源を開示することになる。この際に、パートナーに何の情報をどれだけ開示するかは、そのパートナーの学習速度に影響することになる。

エ ✕

同業種間のM＆Aでは、特定の業種の企業としての規模が拡大する。よって、習熟効果の実現は想定される。範囲の経済は複数のものが加わり、範囲が拡大することで得られるものであるため、異業種間のM＆Aのほうがメリットがある。また、同業種の場合には異業種と比較すれば似ている部分も多いため、統合コストは低いといえる。

  ウ

講師より

外部組織との連携もここ数年で頻出の論点となりました。

まずは「垂直的統合」と「水平的統合」の整理をしましょう。その後にM＆Aの手法の名前とそれぞれの特徴をおさえておくとよいです。

重要度 Ⓑ イノベーション　　　　　　　　　R2-8

　以下のＡ欄の①～④に示す新製品開発やイノベーションを推進するための取り組みと、Ｂ欄のａ～ｄに示すこれらの取り組みに当てはまる名称の組み合わせとして、最も適切なものを下記の解答群から選べ。

【Ａ　取り組みの内容】
① 新興国で開発された製品や技術を先進国に導入すること
② 新製品に関わる各部門が、外部環境における関連する領域と卓越した連携を持つこと
③ 製品の構造を分析し、動作原理、製造方法、設計図の仕様、ソースコードを調査し、学習すること
④ 職務よりもプロセスを重視した、事業プロセスの大きな設計変更を伴う職務横断的な取り組み

【Ｂ　取り組みの名称】
ａ　リバース・エンジニアリング
ｂ　リエンジニアリング
ｃ　バウンダリー・スパンニング
ｄ　リバース・イノベーション

〔解答群〕
ア ①－ａ　②－ｂ　③－ｃ　④－ｄ
イ ①－ａ　②－ｄ　③－ｃ　④－ｂ
ウ ①－ｂ　②－ｄ　③－ａ　④－ｃ
エ ①－ｄ　②－ｃ　③－ａ　④－ｂ
オ ①－ｄ　②－ｃ　③－ｂ　④－ａ

解 説 -

　イノベーションを推進するための取り組みの重要用語の問題である。
①：dのリバース・イノベーションの内容
②：cのバウンダリー・スパンニングの内容
③：aのリバース・エンジニアリングの内容
④：bのリエンジニアリングの内容

正解　エ

 講師より

　近年、「リバース・イノベーション」「リバース・エンジニアリング」「バウンダリー・スパンニング」の出題頻度が上がっています。早めにこの３つの重要ワードは理解して覚えてしまいましょう。

重要度 **B** デファクトスタンダード競争とイノベーションに関する用語　　　R元-8

次の文章を読んで、下記の設問に答えよ。

　コンピュータのソフトウェアやコンテンツなどのデジタル化された情報財は、製品開発費などの固定費が占める比率が　A　く、製品１単位を追加的に生産するためにかかる費用が　B　い傾向があるという特性を有している。

　こうした情報財の特性は、製品市場での競争状況や、その状況に基づく競争戦略に影響を与える。特に重要なのは、複数の企業が同様の情報財を供給して、コモディティ化が生じる場合、たとえ当該市場が成長段階にあったとしても、企業間での競争が激化して、最終的には　C　の水準まで価格が低下してしまう点にある。

　そのために、デジタル化された情報財では、その特性を勘案した競争戦略によって、コストリーダーシップや製品差別化を実現することで、コモディティ化に伴う熾烈な価格競争を回避すべきだとされる。例えば、パソコンのオペレーティング・システム（OS）の場合、支配的な地位を確立した企業は、ユーザー数の多さが当該製品の便益の増大につながる　D　などを背景として、持続的な競争優位を獲得してきた。

設問1

　文中の空欄A〜Cに入る語句の組み合わせとして、最も適切なものはどれか。

ア　A：高　　B：低　　C：機会費用

イ　A：高　　B：低　　C：限界費用

ウ　A：高　　B：低　　C：固定費

エ　A：低　　B：高　　C：機会費用

オ　A：低　　B：高　　C：限界費用

設問2

　文中の空欄Dに入る語句として、最も適切なものはどれか。

ア　オープン・イノベーション

イ　デジュール標準

ウ　ネットワーク外部性

エ　リバース・イノベーション

オ　リバース・エンジニアリング

解説

設問1

デジタル化された情報財に関する問題である。

デジタル化された情報財は、製品開発費などの固定費が占める比率が高い（空欄A）一方、開発された後は物的な財と異なり、基本的には限界費用（製品1単位を追加的に生産するためにかかる費用）が低い（空欄B）傾向がある。そして、仮にその情報財がコモディティ化した場合には、同質的な競争となることから価格が低下し、最終的には限界利益が獲得できるか否かの水準である限界費用（空欄C）の水準まで価格が低下してしまう状況が見られる。

 正解　イ

設問2

ア　✗

オープン・イノベーションについて最初に提唱したヘンリー・チェスブローは、オープン・イノベーションについて、「企業内部と外部のアイデアを有機的に結合させ、価値を創造すること」と定義している。

イ　✗

デジュール標準とは、国際機関などの公的機関により策定される標準とその規格のことである。これに対し、製品が市場で広く受け入れられて、事実上の標準となっている場合の品質をデファクト標準（デファクトスタンダード）という。

ウ　○

ネットワーク外部性とは、電話、FAX、SNSサイトなどのように、そのネットワークに参加する（その製品を使用する）メンバーが多いほど、参加メンバーの効用が高まるというものである。

エ　✗

リバース・イノベーションとは、グローバル企業が新興国で製品や技術を開発し、その後、先進国にもその製品と技術を展開することである。

オ ✕

　リバース・エンジニアリングとは、競争企業が販売している製品を分解、解析し、その企業のノウハウを解明することである。

 ウ

　前問でも書きましたが、**設問2**の選択肢は、間違いの選択肢も含めてここ数年頻出している単語です。表記が似ていて覚えづらいものもありますが、しっかりと覚えておきましょう。

重要度 **B** デファクトスタンダード競争 R2-13

デファクト・スタンダードやネットワーク外部性に関する記述として、最も適切なものはどれか。

ア デファクト・スタンダードの確立には、ISOのような国際的な標準化機関が重要な役割を果たすことから、これらの機関での調整や協議を進めることが、デファクト・スタンダードの獲得に向けた中心的な方策となる。

イ デファクト・スタンダードは、パーソナルコンピュータやスマートフォンのOS（基本ソフト）のようなソフトウェアにおいて重要な役割を果たすものであり、情報技術が関わらない領域では生じない。

ウ デファクト・スタンダードは製品市場における顧客の選択を通じて確立するために、競合する製品や規格の中で、基本性能が最も高いものが、デファクト・スタンダードとしての地位を獲得する。

エ 当該製品のユーザー数の増加に伴って、当該製品において補完財の多様性が増大したり価格が低下したりすることで得られる便益は、ネットワーク外部性の直接的効果と呼ばれ、間接的効果と区分される。

オ ネットワーク外部性を利用して競争優位を獲得するためには、ユーザー数を競合する製品や規格よりも早期に増やすことが、有効な方策となる。

ア ✕

デファクト・スタンダードは、ISOのような国際的な標準化機関（公的な標準化機関）の認定を必要とするものではない（重要な役割を果たすものではない）。

イ ✕

デファクト・スタンダードが、パーソナルコンピュータやスマートフォンのOS（基本ソフト）のようなソフトウェアにおいてよく見られるため、重要な役割を果たすものであることは正しい。しかしながら、情報技術がかかわらない領域で生じないわけではない。市場において認められた規格であれば該当することになる。

ウ ✕

デファクト・スタンダードは、その地位を獲得するということは、多くの需要者や供給者に用いられているということである。その際に重要な要素としてよくあげられるのがネットワーク外部性である。たとえ、性能や品質に劣るものであっても、それ以上に参加メンバーが多いことによる魅力が大きく、市場で支持される規格となる。

エ ✕

ネットワーク外部性には、ネットワークの大きさが直接便益の拡大をもたらす「直接効果」と、補完財が介在する「間接効果」がある。よって、選択肢に書かれている、補完財の多様性が増大したり価格が低下したりすることで得られる便益は、間接効果である。

オ ○

選択肢**ウ**の解説で述べたとおりである。

 正解 オ

講師より

家庭用VTRやパソコン、ゲーム機など私たちの身近なところにも**デファクトスタンダード**をめぐる競争はあります。ただ覚えるだけでなく、**身近な例も参考**にして学習をしましょう。

重要度 Ⓑ **ベンチャー企業のマネジメント** H30-12改題

　技術開発型ベンチャー企業が起業から事業展開で直面する障壁には、通常、以下の【A欄】にあるダーウィンの海、デビルリバー（魔の川）、デスバレー（死の谷）と呼ばれるものがある。これらの障壁は【B欄】のように説明できる。

　【A欄】のa〜cに示された障壁名、【B欄】の①〜③に示された障壁の内容の組み合わせとして、最も適切なものを下記の解答群から選べ。

【A：障壁名】
a　ダーウィンの海
b　デビルリバー
c　デスバレー

【B：障壁の内容】
①　応用研究と商品開発ないし事業化との間に存在する資金や人材の不足などという障壁
②　開発商品を事業化して軌道に乗せる際、既存商品や他企業との激烈な競争に直面するという障壁
③　技術シーズ志向の研究のような基礎研究からニーズ志向の応用（開発）研究に至る際の障壁

〔解答群〕
　ア　a −①　　b −②　　c −③
　イ　a −②　　b −③　　c −①
　ウ　a −②　　b −①　　c −③
　エ　a −③　　b −①　　c −②
　オ　a −③　　b −②　　c −①

ダーウィンの海（A欄：a）とは、事業化を成し遂げた後も、その事業が軌道に乗るまでの間で、市場における激しい競争にさらされることで直面する関門のことである（B欄：②）。

デビルリバー（A欄：b）とは、基礎研究で開発されたシーズの社会的な有用性が識別しにくいことで直面する関門である。基礎研究を終えて、応用研究や開発研究へと進めるかどうかということである（B欄：③）。

デスバレー（A欄：c）とは、応用研究と製品開発（さらには事業化）の間で、十分な資金や人材などを調達することができないことで直面する関門である（B欄：①）。

よって、a－②、b－③、c－①という組み合わせとなる。

 正解　イ

 講師より

　ベンチャー企業のマネジメントの、「デビルリバー（魔の川）」「デスバレー（死の谷）」「ダーウィンの海」の3つの用語に関する問題です。本問もそうですが、3つの用語の意味を知っていないと解けない問題がほとんどですので、確実に覚えてください。

重要度 **B** ## 組織構造の設計原理

組織構造のデザインに関する記述として、最も適切なものはどれか。

ア 異なったタスクを組み合わせて、顧客に提供するサービスとしてまとめる方法を、機能部門化という。

イ 指揮命令系統は、組織のトップからロアーに至る権限の系統であるが、組織横断的なコミュニケーションを可能にする情報ネットワーク技術の発展によって、指揮命令系統は組織デザインの要素としては必須ではなくなっている。

ウ 仕事を細かく分割された作業ルーティンとしてではなく、トータルなプロセスとして任せるように割り当てることを、職務の専門化という。

エ 職務の標準業務手続きの公式化が進むほど、職務の進め方に対する個人の自由裁量は小さくなる。

オ 組織の頂点に意思決定を集中する度合いとして集権化と分権化が決められ、集権化するほど環境変化への対応力を高めることができ、分権化するほど迅速な組織的な行動が可能になる。

ア ✕

機能部門化とは、機能ごとに部門化を図るということである（機能別組織のイメージ）。よって、異なったタスク（機能）を組み合わせて、顧客に提供するサービスとしてまとめる方法ではない。

イ ✕

情報ネットワーク技術の発展によって組織横断的な（水平方向の）コミュニケーションが可能になってきたからといって、組織である以上、共通の目的を有して、その達成を目指すためには、指揮命令系統は必要である。

ウ ✕

職務の専門化とは、トータルなプロセスとして任せるように割り当てるのではなく、むしろ細かく分割された作業ルーティンとして割り当てるものである。

エ ◯

正しい記述である。

オ ✕

組織の頂点に意思決定を集中することは集権化（機能別組織のイメージ）、組織全体に権限を与えていくことは分権化（事業部制組織のイメージ）ということになる。集権化を進めた組織の場合には、トップが大局的な意思決定が可能になるものの、トップの負担が大きいことから迅速性に乏しく、環境変化への対応力は低くなる。

正 解　エ

講師より

組織構造の設計原理の問題です。ここでは、専門化の原則が**ウ**と**エ**で出題されています。特に**エ**の公式化については、教科書にもあるように専門化と関連が強い言葉なので、類似語の標準化とともに特徴を学習してください。

重要度 **A** 組織構造の形態①

R5-14

主要な組織形態に関する記述として、最も適切なものはどれか。

ア 機能別組織では、機能別部門の管理をそれぞれの部門の長に任せることから、事業部制組織よりも次世代経営者の育成を行いやすい。

イ 機能別組織では、知識の蓄積が容易であるため、事業の内容や範囲にかかわらず経営者は意思決定を迅速に行いやすい。

ウ 事業部制組織では、各事業部が自律的に判断できるために、事業部間で重複する投資が生じやすい。

エ 事業部制組織では、各事業部が素早く有機的に連携できるため、機能別組織よりも事業横断的なシナジーを創出しやすい。

オ マトリックス組織は、複数の命令系統があることで組織運営が難しいため、不確実性が低い環境において採用されやすい。

ア　✗

　機能別組織は、文字通り、営業、製造、開発といった機能の軸で部門化する組織形態である。よって、機能別部門の管理をそれぞれの部門の長に任せることになるのは正しい。しかしながら、事業部制組織よりも次世代経営者の育成を行いやすいわけではなく、事業部制組織のほうが次世代経営者の育成を行いやすい。

イ　✗

　機能別組織は、特定の機能が集中した形になるため、その特定の機能における知識が蓄積しやすい。しかしながら、経営者が意思決定を迅速に行いやすい形態ではない。機能別組織は集権型の組織であるため、大局的な意思決定はしやすいが、機能間の調整など経営者の負担は少なくないため、むしろ意思決定に遅れが生じることが懸念される。

ウ　○

　正しい記述である。

エ　✗

　事業部制組織は、他の事業部とは基本的には関わりがない形で事業を展開する。そのため、各事業部が素早く有機的に連携できるわけではなく、機能別組織よりも事業横断的なシナジーを創出しやすい組織形態ではない。

オ　✗

　マトリックス組織は、複数の命令系統があることで組織運営が難しい面があることは正しい。しかしながら、不確実性が高い環境において採用されやすい組織形態である。

講師より

正解　ウ

　組織形態の問題です。基本となる機能別組織、事業部制組織をまず理解しましょう。それぞれのメリットとデメリットは逆の関係になりますので、この関係を活用すると理解がしやすくなります。

重要度 **A** 組織構造の形態② R4-13

経営組織の形態と構造に関する記述として、最も適切なものはどれか。

ア 事業部制組織では事業部ごとに製品－市場分野が異なるので、事業部を共通の基準で評価することが困難なため、トップマネジメントの調整負担が職能部門別組織に比べて大きくなる。

イ 職能部門別組織は、範囲の経済の追求に適している。

ウ トップマネジメント層の下に、生産、販売などの部門を配置する組織形態が職能部門別組織であり、各職能部門はプロフィットセンターとして管理される必要がある。

エ マトリックス組織では、部下が複数の上司の指示を仰ぐため、機能マネジャーと事業マネジャーの権限は重複させておかなければならない。

オ 命令の一元化の原則を貫徹する組織形態がライン組織であり、責任と権限が包括的に行使される。

ア ✕

　　事業部制組織は、分権型の組織形態であるため、相対的にトップマネジメントの調整負担が少なくなる（職能部門別組織に比べて小さくなる）。

イ ✕

　　職能部門（機能）別組織は、特定の業務が集中することによって経済効率が高まる形態であり、複数の要素が合わさることで経済効率が高まる範囲の経済性が追求される組織形態ではない。

ウ ✕

　　トップマネジメント層の下に、生産、販売などの部門を配置する組織形態が職能部門別組織であることは正しい。また、プロフィットセンターとは、利益責任を持つ部門ということになるが、部門がプロフィットセンターとなる組織形態は事業部制組織である。

エ ✕

　　マトリックス組織において、部下が複数の上司の指示を仰ぐことは正しい。しかしながら、機能マネジャーと事業マネジャーは文字どおり機能面、事業面においてそれぞれ権限と責任を有することになる。よって、権限は重複しない（異なる権限を有することになる）。

オ ○

　　ライン組織とは、単一の命令系統によって直線的に結ばれている組織形態である。この形態の場合、権限と責任が誰に帰属しているかが明瞭になるため、責任と権限が包括的に行使されることになる。

 正解　オ

👤 講師より

　前の問題でも書かせていただきましたが、組織構造の形態の基本は機能別組織（この問題では、「職能部門別組織」と表記）と事業部制組織です。この2つの特徴をしっかり理解できた後に、マトリックス組織の特徴を学習すると理解しやすいです。

重要度 **Ⓐ** **モチベーション理論①**　R4-16

動機づけ理論に関する記述として、最も適切なものはどれか。

ア　期待理論では、職務成果と報酬とのつながりが明確な場合に報酬の魅力度が高まりやすいことを根拠として、人事評価制度の透明性が仕事に対する従業員のモチベーションを高めると考える。

イ　公平理論では、従業員間で報酬に関する不公平感が生まれないように公正に処遇することで、仕事の量と質を現状よりも高めるように従業員を動機づけられると考える。

ウ　動機づけ・衛生理論（二要因理論）では、職場の物理的な作業条件を改善することは、仕事に対する従業員の不満を解消するための方法として有効ではないと考える。

エ　D.C.マクレランドの欲求理論では、達成欲求の高い従業員は、成功確率が低く挑戦的な目標よりも、成功確率が中程度の目標の方により強く動機づけられると考える。

オ　D.マグレガーが「X理論」と命名した一連の考え方では、人間は生来的に仕事が嫌いで責任回避の欲求を持つため、やりがいが強く感じられる仕事を与えて責任感を育てる必要があると考える。

動機づけ（モチベーション）理論に関する問題である。

ア　✕

期待理論は、職務成果と報酬のつながり（期待）が明確な場合に、報酬の魅力度（誘意性）が高まりやすいという関係ではない。

イ　✕

公平理論は、不公平であると感じると緊張が生まれ、この緊張が動機づけの基礎となり、平等で公正と見なしたものに向けて努力することになる（動機づけが生じる）。よって、不公平感が生まれないように公正に処遇されているのであれば緊張が生じず、動機づけは生じないことになる。

ウ　✕

動機づけ・衛生理論（二要因理論）は、満足をもたらす要因を動機づけ要因、不満をもたらす要因を衛生要因としている。職場の物理的な作業条件を改善することは衛生要因であり、仕事に対する従業員の不満を解消するための方法として有効である。

エ　〇

正しい記述である。

オ　✕

マグレガーによると、「Ｘ理論」の人間観に基づいた場合には、人は生まれつき仕事が嫌いであり、低次の欲求しか持たないとしている。そのため、高次の欲求を有していないため、やりがいが強く感じられる仕事を与えても責任感が育たないとしている。

 正解 エ

講師より

　モチベーション理論の問題です。モチベーション理論は数が多く、学習がしづらいですが、**多くの理論のベースとなるのはマズローの欲求段階説**です。マズローの欲求段階説をしっかりと理解してから、違いや類似点を意識しながら他の理論を学習しましょう。

重要度 **B** モチベーション理論② 期待理論 R2-19

期待理論における、組織メンバーのモチベーションの水準を規定する要因に関する記述として、最も不適切なものはどれか。

ア 成果が自身の報酬につながるかについての認知

イ 他者の報酬と比較した自身の報酬に対する認知

ウ 努力することで成果をあげられるかについての期待

エ 報酬がもたらしうる満足の程度

　期待理論は、得られる報酬がもつ魅力である「誘意性」と、その報酬を獲得できる主観的確率である「期待」との積和がその活動に対する動機づけの強さを決定することになる。また、期待理論の論者の１人であるローラーは、上述の「期待」を２つに分けることで、①「誘意性」と、②「努力」すれば「業績（成果）」が向上するという期待、③「業績（成果）」が望ましい「報酬」の入手につながるという期待、が重要だとしている。

ア　○

　上記③のとおりである。

イ　✕

　期待理論で想定している報酬に対する認知は、本人の内的な問題であり、本人の態度、パーソナリティ、欲求が勘案されるとしている。他者と比較して認知するということではない。

ウ　○

　上記②のとおりである。

エ　○

　報酬がもたらしうる満足の程度とは、報酬がもつ魅力、つまり誘意性と言い換えられる。よって、上記①のとおりである。

 イ

講師より

　モチベーション理論の中の期待理論からの問題です。ブルームの期待理論とローラーの期待理論の２つがあります。おおよそは同じですが、どこが違うのかを意識して勉強をしましょう。

重要度 **B** モチベーション理論③　職務特性モデル

R5-16改題

　職務に対する従業員のモチベーションは、組織から与えられる報酬だけではなく、担当する職務の特性それ自体からも影響を受ける。

　J.R.ハックマンとG.R.オルダムによって提唱された職務特性モデルに関する記述として、最も適切なものはどれか。

ア　技能多様性、タスク完結性、タスク重要性の度合いが高いほど、従業員はその仕事に価値や意義を見出すようになる。

イ　タスク完結性とは、仕事のスケジュールや手順を決めるにあたって、担当者が自己完結的にそれらを自由に決められる程度を指す。

ウ　幅広い工程を一貫して担当することが求められるタスクは、細分化された1つの工程を担当するタスクよりもタスク重要性が高い。

ア ○

　技能多様性、タスク完結性、タスク重要性の度合いが高いほど、仕事に対する有意義感の経験の程度に影響する。つまり仕事に価値や意義を見出すようになる。

イ ✗

　タスク完結性とは、社内の仕事の全体にかかわる度合い、つまり完結度合いの高さである。よって、仕事のスケジュールや手順を決めるにあたって、担当者が自己完結的にそれらを自由に決められる程度、という意味での完結性ではない。

ウ ✗

　幅広い工程を一貫して担当することが求められるタスクは、選択肢**イ**で述べたタスク完結性の高い職務である。タスク重要性は、職務が他人の生活や仕事などにどの程度重要であるかの度合いである。

 ア

 講師より

　モチベーション理論の中の職務特性モデルからの出題です。職務特性モデルでは、内発的に動機づけられる要因として5つの特性があります。職務特性モデルを学習する際には、まずこの5つの特性から整理しましょう。

重要度 **A** グループダイナミクス① R5-19

集団の中にいる人間の意思決定や行動は集団から影響を受ける。集団の機能と集団内の人間行動に関する記述として、最も適切なものはどれか。

ア 「凝集性」が高い集団では、集団内の規範と組織全体の業績目標とが一致するため、集団内の個人の生産性が高まりやすい。

イ 「グループシフト」とは、集団のメンバーが個人として当初有していた極端な態度や意見が、集団で討議した結果、より中立的な方向に収束する現象を指す。

ウ 「集団圧力」を受けやすい状況下でも、正しい答えが明白な課題に取り組む場合は、個人が多数派の意見に同調して誤った答えを選択することはない。

エ 全体の和を重んじる集団では、意思決定に際して多数派の意見だけではなく少数派からの異論も奨励する「グループシンク」が促進されやすい。

オ 人が集団の中で働くときに単独で働くときほど努力しない「社会的手抜き」という現象は、個人の貢献と集団の成果との関係が曖昧な場合に生じやすい。

ア ✕

「凝集性」が高い集団の場合、集団内の規範に従うような圧力が生じる可能性も高くなる。ただし、その集団内の規範と組織全体の業績目標が一致するとは限らないし、集団内の個人の生産性が高まりやすいわけでもない。

イ ✕

「グループシフト」とは、グループシンクが生じた際に、その意思決定が極端なものになる現象である。

ウ ✕

「集団圧力」を受けやすい状況下とは、集団の意向に従わざるを得ない、異なる意見を出しにくいといった状況である。このような状況においては、個人にとって正しい答えが明白な課題に取り組む場合であっても、その答えが集団の多数派の意向に沿わない場合、個人が多数派の意見に同調して誤った答えを選択することが生じる。

エ ✕

全体の和を重んじる集団では、多数派の意見を尊重する傾向が強くなり、少数派からの異論は軽視される。

オ 〇

「社会的手抜き」とは、集団内で働くときに単独で働くときほど努力をしなくなることである。これが生じるのは、個人の貢献と集団の成果との関係が曖昧な場合である。このような場合、集団の努力に「ただ乗り」したいという誘惑に駆られる、といった思いや考えが生まれることになるからである。

 正解　オ

講師より

　グループダイナミクスからの出題です。今回の問題にも出題された「(集団の)凝集性」、「グループシンク」、「グループシフト」は、この論点では重要なワードとなります。どんな時にこれらのことが起きるのかを、まず整理しましょう。

重要度 **Ⓑ** グループダイナミクス② コンフリクト

R元-15改題

コンフリクトは、意思決定の標準メカニズムの機能不全を意味する。組織における部門間コンフリクトの原因、それへの対応に関する記述として、最も適切なものはどれか。

ア 組織内のスラックが豊富に存在すると、部門間の目標の独立性が減少し、部門間コンフリクトが発生しやすくなる。

イ 組織内の部門間コンフリクトは、共同意思決定の必要性が高ければ高いほど、また予算など限られた資源への依存度が大きければ大きいほど、発生する可能性が高まる。

ウ 命令の一元性が確保されていると、部門間の目標や知覚の分化が進むため、部門間コンフリクトが起きる可能性は低下する。

エ 目標が共有されている部門間でコンフリクトが生じた場合、その基準を満たす解決策を探索するために、政治的工作やバーゲニングが使用される可能性が高くなる。

ア ✖

　組織内のスラックが豊富に存在する場合、部門間調整の負担が軽減されることになるが、それによって部門間の目標の独立性が減少するということはない。また、組織内のスラックが豊富に存在するのであれば、部門間における調整負担が軽減されるため、コンフリクトは発生しにくくなる。

イ 〇

　共同意思決定の必要性が高ければ、部門間の調整負担が高まるため、組織内の部門間コンフリクトが発生する可能性が高まる。また、予算など限られた資源への依存度が大きければ、その資源の獲得を巡ってコンフリクトが発生する可能性が高まることになる。

ウ ✖

　命令の一元性が確保されている状況においては、部門間の目標や知覚の共通化が進むことになる。また、このような官僚的なメカニズムがあることは、基本的には対立が抑制されることに寄与するため、部門間におけるコンフリクトが起きる可能性が低下する。

エ ✖

　目標が共有されている部門間においてコンフリクトが生じた場合には、バーゲニング（交渉）を行って解決策を探索するのは有効である。しかしながら、政治的工作（相手の心理や動向を探り合って物事を行う）を行ってしまっては、信頼関係を損なうリスクが大きいため、好ましい解決策とはいえない。

 正 解　イ

👤 講師より

　コンフリクトが直接問われた問題です。組織論の、特にグループダイナミクスや組織変革を理解するには、コンフリクトの理解は不可欠です。コンフリクトはどういうときに起きるのか？　起きた時にはどうするのか？　まで理解しましょう。

リーダーシップ理論に関する記述として、最も適切なものはどれか。

ア F.E.フィードラー（F. E. Fiedler）の研究によると、リーダーシップの有効性に影響を及ぼす状況の決定要因とは、①リーダーとメンバーの人間関係、②課業の構造化の度合い、③リーダーの職位に基づくパワーの3要因である。

イ R.リッカート（R. Likert）らによる初期のミシガン研究によると、高業績部門では職務中心的な監督行動が多くみられる一方で、低業績部門では従業員中心的な監督行動が多くみられる。

ウ オハイオ研究によると、有効なリーダーシップの行動特性を表す次元とは、メンバーが良好な人間関係を構築できる「構造づくり」と、課題達成に向けてメンバーに理解しやすい指示を出す「配慮」の2つである。

解 説

ア ○

F.E.フィードラーの研究では、「人間関係志向」と「タスク志向」という2つのリーダーシップスタイルを想定したうえで、そのいずれが適するかは、置かれている状況によって異なるとした。そして、その状況要因（リーダーシップの有効性に影響を及ぼす状況の決定要因）として、①リーダーとメンバーの人間関係、②課業の構造化の度合い、③リーダーの職位に基づくパワーの3要因をあげている。

イ ✕

R.リッカートらによる初期のミシガン研究においては、従業員志向型のリーダーシップのほうがはるかに好ましいとしている。よって、選択肢に書かれているような、部門の業績によって監督行動（リーダーシップ行動）が変わるものではない。

ウ ✕

「構造づくり」と「配慮」の説明が逆である。

オハイオ研究において、メンバーが良好な人間関係を構築できるのは「構造づくり」ではなく「配慮」であり、課題達成に向けてメンバーに理解しやすい指示を出すのは「配慮」ではなく「構造づくり」である。

 正解 ア

講師より

リーダーシップ論からの出題です。モチベーション理論のように、理論がたくさんあるため、学習しづらいと思っている方も多いです。オハイオ研究とPM理論とマネジリアルグリッドのように似た理論もあるので、似ている理論はまとめて学習すると効率的です。

重要度 **B** リーダーシップ論②　　　　　　　R5-18

　リーダーシップの条件適合理論の1つであるパス・ゴール理論に関する記述として、最も適切なものはどれか。

ア　自分の行動とその結果を自分自身が統制していると考える部下は、リーダーから意思決定に関して相談されたり提案を求められたりすることに強い満足を得る傾向がある。

イ　タスクの内容と達成方法を具体的に指示するリーダーシップは、部下のタスクが曖昧な場合よりも高度に構造化されている場合の方が、部下の満足度を高めやすい。

ウ　タスクを遂行する自らの能力が高いと認識する部下ほど、タスクの内容や達成方法を具体的に指示するリーダーシップに対する満足度が高くなる。

エ　部下の感情面への配慮を示すリーダーシップは、タスクを遂行すること自体から得られる部下の満足度が低い場合よりも高い場合の方が、部下の満足度を高めやすい。

オ　リーダーは、自らの性格的な特性に応じて、指示型、支援型、参加型、達成志向型のいずれかの行動スタイルをとることで部下の満足度を高められる。

ア ○

　自分の行動とその結果を自分自身が統制していると考える部下とは、ローカス・オブ・コントロールが高い部下である。よって、「参加型」が適している。この場合、リーダーから意思決定に関して相談されたり提案を求められたりすることに強い満足を得る傾向がある。

イ ✕

　タスクの内容と達成方法を具体的に指示するリーダーシップは、「指示型」であるが、このスタイルはタスクが曖昧であったり、相当なコンフリクトが存在したりするなど部下のストレスが多いときに、部下のより大きな満足につながる。

ウ ✕

　タスクを遂行する自らの能力が高いと認識する部下の場合、タスクの内容や達成方法を具体的に指示することは（指示型）、部下にとってはくどすぎる可能性が高く、お節介になる。よって、満足度が低くなる。

エ ✕

　部下の感情面への配慮を示すのは「支援型」である。このスタイルによって部下の満足度を高めることになるのは、タスクを遂行すること自体から得られる満足度が低い部下の場合である。

オ ✕

　パス・ゴール理論は状況適合論であり、この場合における状況は、「環境的条件即応要因」と「部下の条件即応要因」であり、リーダー自らの性格的な特性ではない。

 ア

講師より

　リーダーシップ論の中の、パス・ゴール理論からの出題です。前問のように、複数の理論から選択肢を作って出題するパターンと、1つのリーダーシップ論を深掘りして出題するパターンがあります。それぞれの出題パターンも知っておきましょう。

重要度 Ⓒ 組織文化　　　　　　　　　　　　　　　　　　　H29-19

　組織メンバーに共有された価値観や信念など、目に見えない基本的仮定に対処するためには、具体的な組織文化の類型についての知識が必要となる。組織文化の特徴と管理者に求められるリーダーシップに関する記述として、最も不適切なものはどれか。

ア　安定性と予測可能性を重視するハイアラーキー文化では、信頼性の高い製品やサービスを提供するために、規則や手続きを遵守するリーダーシップが求められる。

イ　企業を親しい仲間達の集まりのようなものと見なすクラン文化では、自らの経営理念を組織内部に浸透させ、従業員に共有された強い価値観を作り出すために、さまざまな社会化研修を行うなど教育者としての強いリーダーシップが求められる。

ウ　競争環境への対応を優先するマーケット文化では、規則や手続きなどの組織内プロセスよりも、市場シェアの向上などの結果を重視し、現実主義的なリーダーシップが求められる。

エ　変化する環境下で直面する課題に即興的に対応するアドホクラシー文化では、イノベーションと創造性が重視され、リスクを進んで取っていこうとする企業家的なリーダーシップが求められる。

ア ○

　ハイアラーキー文化（官僚主義的文化）とは、組織内部の状況と、安定した環境との整合性を取ることを重視し、秩序だったタスクの遂行が推奨される。よって、規則や手続きを遵守することが重要であり、それを推進するリーダーシップが求められる。

イ ✕

　クラン文化（仲間的文化）とは、組織メンバーの関与と参加が推奨される文化であるため、従業員のニーズを重視するものである。よって、リーダーに対して教育者としての強いリーダーシップを発揮することが求められるような文化ではない。

ウ ○

　マーケット文化（ミッション重視文化）とは、売上、収益、市場シェアといった目標の達成に重点が置かれている。よって、規則や手続きといった組織内プロセスよりも、市場シェアの向上などの結果を重視し、現実主義的なリーダーシップが求められる。

エ ○

　アドホクラシー文化（適応能力／起業家的文化）とは、顧客ニーズに対する柔軟な対応や変革を起こすなど、外部環境に戦略的主眼が置かれているものである。つまり、環境変化にいち早く対応し、また、積極的に変化を生み出すものであるため、イノベーション、創造性、リスクテイキングが評価される。よって、それを推進するリーダーシップが求められることになる。

 正解　イ

👨‍🏫 講師より

　組織文化についての問題です。組織文化は、問題にも出ている４つの文化「ハイアラーキー文化」、「クラン文化」、「マーケット文化」、「アドホクラシー文化」が基本となります。それぞれの文化の特徴をまず整理しましょう。

重要度 Ⓑ **組織学習①**　　　　　　　　　　　　　　R5-20

　J.G.マーチとJ.P.オルセンが示した組織学習サイクル・モデルにおける不完全な学習サイクルに関する記述として、最も適切なものはどれか。

ア　「曖昧さのもとでの学習」とは、組織の行動がもたらした環境の変化を適切に解釈できず、個人の信念が修正されないことを指す。

イ　「傍観者的学習」とは、個人が、環境の変化について傍らから観察しているかのように、自らの行動を変化させないことを指す。

ウ　「迷信的学習」とは、個人が自ら確信している迷信に従って、自身の行動を変化させ、さらに組織の行動の変化も導こうとすることを指す。

エ　「役割制約的学習」とは、環境の変化によって自らの信念が変化した個人がその行動を変化させるものの、そうした変化が自らの役割の範囲内のみにとどまっていることを指す。

オ　不完全な学習サイクルとは、「環境の変化→個人の行動→組織の行動→個人の信念」という連結サイクルのいずれかが切断されていることを指す。

ア ○

正しい記述である。

イ ✕

「傍観者的学習」は、個人が新たな行動を起こして学習したが、それが組織の行動にならない状態である。個人が自らの行動を変化させないことを指すものではない。

ウ ✕

「迷信的学習」とは、組織内で迷信のように信じられてきた考えに囚われ、組織の行動が環境の変化につながらない状態である。よって、個人が自ら確信している迷信に従って、自身の行動を変化させるのではなく、むしろ、個人はその迷信とは異なる行動をして変化をさせようとすることになる。

エ ✕

「役割制約的学習」とは、環境の変化によって自らの信念が変化した個人が、自らの役割を踏まえた際に、行動を変化させることができない状況である（変化が自らの役割の範囲内にとどまる以前に行動の変化が生じないということである）。

オ ✕

組織学習サイクルは、「環境変化→個人の信念→個人の行動→組織の行動→環境変化→以下同じ」の順序で回ることになる。

 正解　ア

講師より

　組織学習の問題です。教科書でも解説していますが、4つの断絶があるため、組織学習がうまく進まないことがあります。この4つの断絶は、名前も非常に似ていて覚えづらいので、「**どこで起きている断絶か？**」「**どのようなことが起きているか？**」の2点をまず整理してください。

組織学習は、一般に低次学習と高次学習に分けて考えることができる。組織学習に関する記述として、最も適切なものはどれか。

ア D.マグレガーのいうY理論に基づく管理手法を採用すると、低次学習が促進されるため、組織の業績は悪化する可能性が高まる。

イ 高次学習とは組織の上位階層で行われている学習であり、低次学習とは組織の下位階層で行われている学習である。

ウ 組織の行動とそれが環境に与える効果の因果関係が分かりにくい場合、迷信的学習といわれる低次学習が起こりやすい。

エ 低次学習とは組織の成果にとって悪い影響を与える学習であり、高次学習とはより高い成果をあげるために不可欠であるため、組織メンバーに高次学習を意識させることが重要である。

ア ✗

　D.マグレガーのY理論における人間観では、高次欲求が個人を支配して いると仮定しているため、意思決定への参加、責任ある仕事、良好な人間 関係の構築などが仕事への意欲を高めるとしている。そのため、Y理論に 基づく管理手法として、権限委譲、職務拡大といったことが考えられる が、これによって低次学習が促進されるということはない。かつ、低次学 習が促進されるからといって、組織の業績が悪化する可能性が高まるわけ ではない。

イ ✗

　高次学習は、組織の上位階層で生じることが多いが、上位階層だけで行 われるのではなく、組織全体として行われるものである。低次学習は、組 織の下位階層でも行われるが、各階層それぞれにおいて行われるものであ る。

ウ ◯

　正しい記述である。

エ ✗

　低次学習と高次学習は、組織の発展段階に応じて、ともに必要なもので ある。一概に高次学習がより高い成果をあげるために不可欠であるとはい い難く、組織メンバーに高次学習を意識させることは重要であるが、常に 意識させなければならないわけでもない。

 正解　ウ

講師より

　組織変革の組織学習に関する問題です。シングルループ学習、ダブルループ学習、低 次学習、高次学習の意味を覚えることも重要ですが、本問のように**環境の変化があると きや、環境が安定しているときにどのような学習が効果的なのか**を理解してください。

重要度 **B** ＳＥＣＩモデル

R5-11

　野中郁次郎が提唱した組織的知識創造理論における中核的な概念の1つである暗黙知に関する記述として、最も適切なものはどれか。

ア　ある時代や分野において支配的規範となる物の見方や捉え方であるパラダイムは、手法的技能としての暗黙知である。

イ　暗黙知は言語化が困難な主観的知識を意味し、そのまま組織的に共有させることが容易である。

ウ　経験は意識的な分析や言語化によっても促進されるため、暗黙知が形式知化されると新たな暗黙知を醸成する。

エ　知識創造の過程は暗黙知と形式知の相互変換であり、集団における暗黙知の共有や一致が知識創造の唯一の出発点である。

オ　豊かな暗黙知の醸成には、経験を積み重ねることが重要で、形式知化を行わないことが推奨される。

ア ✕

パラダイムが、ある時代や分野において支配的規範となる物の見方や捉え方であることは正しい。つまり、多くの人に共有されている考え方の枠組みであるため、手法的技能ではないし、暗黙知でもない。

イ ✕

暗黙知が、言語化が困難な主観的知識を意味することは正しい。そのため、そのまま組織的に共有させることが困難である。

ウ 〇

正しい記述である。

エ ✕

知識創造の過程が暗黙知と形式知の相互変換であることは正しい。しかしながら、集団における暗黙知の共有や一致が知識創造の唯一の出発点というわけではない。既存の形式知と形式知を組み合わせる、既存の形式知に暗黙知を組み合わせるなど、さまざまなきっかけで新たな知識は創造される。

オ ✕

豊かな暗黙知の醸成には経験を積み重ねることが重要であることは正しい。しかしながら、形式知化を行わないことが推奨されるわけではなく、形式知化することで組織知になっていく。

 正解 ウ

講師より

ここ数年で出題頻度が上がっているのが、このSECIモデルです。SECIモデルでは、「共同化ないし社会化」、「表出化」、「連結化」、「内面化」の**4つのモード**が重要です。どのような流れで、この4つのモードが変化していくのかをまず理解しましょう。

重要度 Ⓑ **労働関連法規① 労働基準法の概要** R5-25

労働基準法上の労働者に関する記述として、最も適切なものはどれか。

ア インターンシップにおける学生は、当該学生が直接生産活動に従事するなど当該作業による利益・効果が受け入れ企業に帰属し、かつ、受け入れ企業との関係において使用従属関係が認められる場合であっても、労働基準法上の労働者に該当しない。

イ 株式会社の代表者は、事業主体との関係において使用従属関係が認められないため、その役員報酬が著しく低額の場合であっても、労働基準法上の労働者に該当しない。

ウ 物品を配送する事業を営む事業主より委託を受けて自転車により物品配送に従事する者は、当該従事者に事業者性を肯定する要素がなく、かつ、当該事業主体との関係において使用従属関係が認められる場合であっても、労働基準法上の労働者に該当しない。

エ 労働基準法上の事業は、営利を目的として行われるものに限定されることから、社会事業団体や宗教団体が行う継続的活動に従事する者は、当該団体との関係において使用従属関係が認められる場合であっても、労働基準法上の労働者に該当しない。

解　説

ア ✕

　厚生労働省の通達によれば、インターンシップにおける学生は①見学や体験的な要素が少ない、②使用者から業務に関わる指揮命令を受けている、③学生が直接の生産活動に従事し、それによる利益・効果が当該事務所に帰属する、④学生に対して、何らかの報酬が支払われているような実態がある場合、労働者に該当すると認められる。したがって選択肢の場合は、労働基準法の労働者に該当する。

イ 〇

　厚生労働省の通達によれば、法人等の代表者または執行機関たる者のように、事業主体との関係において使用従属関係にない者は労働者ではないとされている。したがって、株式会社の代表者は、労働者には該当しない。

ウ ✕

　労働基準法研究会報告「労働基準法の労働者の判断基準について」によると、基本的判断要素として、①指揮監督下の労働の有無、②報酬の労務対償性があり、さらに労働者性を補強する要素として、事業者性の有無などが挙げられている。したがって、当該従事者に事業者性を肯定する要素がなく、使用従属関係が認められる場合であれば、労働基準法上の労働者に該当する。

エ ✕

　営利を目的としない社会事業団体、宗教団体等も業として継続的に行われていれば事業に該当する。そして、当該団体と使用従属関係が認められる場合であれば、労働基準法上の労働者に該当する。

 正解　イ

👨‍🏫 講師より

　労働関連法規は毎年4問前後出題されます。出題範囲も広く、難易度の高い問題が多い年もあるので、苦手にしている受験生も多いです。労働基準法を中心に学習すれば、解きやすい問題もありますので、諦めずにがんばりましょう。

重要度 **A** 労働関連法規② 契約期間 　　　H30-24

　労働契約の期間に関する記述として、最も適切なものはどれか。なお、一定の事業の完了に必要な期間を定める労働契約については考慮しないものとする。

ア 期間の定めのない労働契約を締結している労働者については、いかなる場合でも定年年齢まで解雇することはできない。

イ 期間の定めのない労働契約を除き、1年を超える労働契約は締結できない。

ウ 期間の定めのない労働契約を除き、満60歳以上の労働者との間に締結される労働契約の期間は、最長5年である。

エ 期間の定めのない労働契約を除き、薬剤師の資格を有し、調剤業務を行う者との間に締結される労働契約の期間は、最長3年である。

ア ✕

　期間の定めがない場合でも、労働基準法上の手続（解雇予告・解雇予告手当の支払）をすることで、労働者を解雇することは可能である。また、①天災事変その他やむを得ない事由のために事業の継続が不可能となった場合、または②労働者の責に帰すべき事由に基づいて解雇する場合で、所轄労働基準監督署長の認定を受けていれば、即時解雇（解雇予告・解雇予告手当の支払なしでの解雇）も認められる。いずれにしても、**いかなる場合でも、定年年齢まで解雇することができないわけではない**。

イ ✕

　労働契約は、期間の定めのないものを除き、一定の事業の完了に必要な期間を定めるもののほかは、原則として、「３年」を超える期間について締結してはならない。「１年」が誤りである。

ウ 〇

　選択肢**イ**の解説で述べたとおり、労働契約期間は、原則として「３年」を超えることはできないが、①高度で専門的な知識等を有する者（博士号取得者、公認会計士、医師、弁護士等専門的な知識、技術または経験であって高度のものを有している労働者がその知識等を必要とする業務に就く場合）、②満60歳以上の者との労働契約では、「５年」まで認められる。

エ ✕

　薬剤師は、選択肢**ウ**の解説で述べた「高度で専門的な知識等を有する者」に該当する。これらの者との労働契約では、契約期間の最長は「５年」となる。

 正解　ウ

講師より

　労働契約の期間の問題です。労働契約の期間の定めがある場合は原則３年が上限です。どのような場合に例外として５年まで認められるでしょうか。本問もそうですが、このような**例外**のところまでしっかりと覚えてください。

重要度 **A** 労働関連法規③　就業規則　R4-24

就業規則に関する記述として、最も適切なものはどれか。

ア　就業規則で、労働者に対して減給の制裁を定める場合においては、その減給は、1回の額が平均賃金の1日分の半額を超え、総額が一賃金支払期における賃金の総額の10分の1を超えてはならない。

イ　常時10人以上の労働者を使用する使用者が作成する就業規則に記載する事項について、退職手当の定めをしない場合には、解雇の事由を含めて、退職に関する事項を記載する必要はない。

ウ　常時10人以上の労働者を使用する使用者が就業規則を作成して届出をする際には、当該事業場に労働組合がない場合は、当該事業場の労働者の過半数を代表する者が当該就業規則の内容に同意した旨を記載した書面を添付しなければならない。

エ　使用者は、就業規則を常時各作業場の見やすい場所へ掲示し又は備え付けることによって周知しなければならない。就業規則を確認できるパソコン等を常時各作業場に設置して周知する場合には、別途、労働者に対して就業規則を書面にて交付しなければならない。

ア ○

就業規則に減給の制裁を定める場合は、減給の額が以下の限度額を超えてはならない。

① 　1回の事案に対しては減給の総額が平均賃金の1日分の半額

② 　一賃金支払期に発生した数事案に対する減給の総額が、当該賃金支払期における賃金の総額の10分の1

イ ✕

退職手当の定めは就業規則における相対的必要記載事項である。しかし、退職に関する事項（解雇の事由を含む）は絶対的必要記載事項であるため、必ず就業規則に記載しなければならない。

ウ ✕

就業規則を作成して届出をする際に、当該事業場に労働組合がない場合は、当該事業場の労働者の過半数を代表する者が当該就業規則の内容に意見を記した書面を添付しなければならないが、同意を得る必要はない。

エ ✕

労働基準法では、使用者は、就業規則等を、厚生労働省令で定める以下の方法によって労働者に周知させなければならないと規定している。

① 　常時各作業場の見やすい場所へ掲示し、または備え付けること。

② 　書面を労働者に交付すること。

③ 　磁気テープ、磁気ディスクその他これらに準ずる物に記録し、かつ、各作業場に労働者が当該記録の内容を常時確認できる機器を設置すること。

上記はいずれかの方法で周知すればよく、本問の場合には、別途、労働者に対して就業規則を書面にて交付する必要はない。

 正解　ア

👤 講師より

就業規則に関する問題です。本問は教科書の内容を超えた選択肢もありましたが、判断しやすい選択肢も多かったです。このように本番の試験では、教科書外の知識も問われることも多いですが、まずは知っているところから自信を持てるようになりましょう。

重要度 Ⓐ **労働関連法規④　法定労働時間　休憩**

R5-26

労働時間に関する記述として、最も適切なものはどれか。

ア　1週間の所定労働時間が37時間30分で1日の所定労働時間が7時間30分の完全週休二日制の事業場において、就業規則に延長勤務を指示することがある旨規定され労働者に周知されている場合に、使用者は、時間外労働に関する書面による労使協定を締結していなくても、所定労働時間外の労働の制限がない労働者を法定労働時間以内である30分間は延長して勤務させることができる。

イ　12時から13時までを昼食休憩として休憩時間を与えている事業場において、一斉休憩の適用除外に関する書面による労使協定を締結したうえで、この時間帯に電話及び来客対応のために労働者の一人を当番制により待機させている場合、当番中に電話も来客も全くなかったときは、当該時間は労働時間ではなくなる。

ウ　使用者が実施する技術水準向上のための教育又は研修が所定労働時間外に実施される場合には、当該教育又は研修が、参加しない労働者に就業規則で定めた制裁を科すなど不利益取り扱いによって参加を強制するものではない自由参加制であっても、その時間は時間外労働になるため、時間外労働に関する書面による労使協定の締結が必要となる。

エ　定期路線トラック業者において、運転手に対してトラック運転の他に貨物の積み込みを行わせることとして、トラック出発時刻の数時間前に出勤を命じている場合、貨物の積み込み以外の時間の労務の提供がない手待ち時間は労働時間ではない。

ア ○

　「所定労働時間」が、1週間で37時間30分、1日で7時間30分の事業場を対象としており、30分間延長して勤務させても、どちらも法定労働時間以内となるため、労使協定は不要となる。

イ ✕

　休憩時間は労働者が権利として労働から離れることが保障されていなければならない。電話及び来客対応のために当番制により待機している時間は、仮に当番中に電話や来客がない場合であっても、労働から離れることが保障されていないので労働時間に該当する。

ウ ✕

　研修・教育訓練について、業務上義務づけられていない自由参加のものであれば、その研修・教育訓練の時間は、労働時間に該当しない（時間外労働ではない）。

エ ✕

　厚生労働省の通達によれば、貨物取扱いの事業場において、貨物の積込係が、貨物自動車の到着を待機して身体を休めている場合等であっても、それは労働であり、その状態にある手待時間は労働時間であるとされている。

 正解　ア

講師より

　労働時間に関する問題です。**ア**の選択肢にある「法定労働時間」と「所定労働時間」の知識が一緒になっている受験生が多いです。ここの違いはよく出題されますので、意味の整理はしておきましょう。

重要度 **B** 労働関連法規⑤ 賃金 R3-26

労働基準法における賃金に関する記述として、最も適切なものはどれか。

ア 賃金は、通貨で支払わなければならないが、労働組合がない企業について、労働者の過半数を代表する者との書面による協定があれば、使用者は通勤定期券や自社製品等の現物を賃金の一部として支給することができる。

イ 賃金は、通貨で支払わなければならないが、使用者は労働者の同意を得て、労働者が指定する銀行の労働者本人の預金口座へ振り込む方法で支払うことができる。

ウ 労働基準法で賃金とは、賃金、給料、手当、賞与その他名称の如何を問わず、労働の対償として使用者が労働者に支払うすべてのものをいうが、就業規則に支給条件が明確に定められている結婚手当は賃金となることはない。

エ 労働者が未成年者である場合には、未成年者は独立して賃金を請求することはできず、親権者又は後見人が、未成年者に代わってその賃金を受け取ることとなる。

ア ✗

　　通勤定期券や自社製品等の現物を賃金の一部として支給するためには、労働組合と使用者またはその団体との間で結ばれた労働条件その他に関する協定（労働協約）を締結しなければならない。つまり、労働者の過半数を代表する者との書面による協定では、現物を賃金の一部として支給することは認められない。

イ ○

　　賃金を労働者が指定する金融機関へ振り込むことは労働者の同意を得れば足りる。

ウ ✗

　　結婚手当等であって労働協約、就業規則、労働契約等によってあらかじめ支給条件の明確なものは賃金にあたる。

エ ✗

　　賃金は直接労働者に支払わなければならない（直接払の原則）。よって、労働者が未成年であっても未成年者が独立して賃金を請求することができる。また、直接払の原則は、使用者が労働者の親権者その他の法定代理人など労働者本人以外の者に賃金を支払うことを禁止するものである。したがって、親権者または後見人が、未成年者に代わってその賃金を受け取ることとはならない。

 イ

講師より

　　労働関連法規では、**労働時間の問題と賃金の問題の出題頻度が高いです**。この2つの分野は特に重点的に学習をしましょう。

重要度 **Ⓑ** 労働関連法規⑥　解雇　　　　　　　　R3-27

解雇に関する記述として、最も適切なものはどれか。

ア　使用者は、産前産後の女性労働者が労働基準法第65条の規定によって休業する期間及びその後30日間については、同法第81条の規定によって平均賃金の1,200日分の打切補償を支払うことで、解雇することができる。

イ　使用者は、事業場に労働基準法又は労働基準法に基づいて発する命令に違反する事実がある場合において、労働者が、その事実を行政官庁又は労働基準監督官に申告したことを理由として、当該労働者に対して解雇その他不利益な取り扱いをしてはならない。

ウ　使用者は、労働者が業務上負傷し、又は疾病にかかり療養のために休業する期間及びその後30日間は、天災事変その他やむを得ない事由のために事業の継続が不可能となり、所轄労働基準監督署長の認定を受けた場合でも解雇することはできない。

エ　使用者は、労働者を解雇しようとする場合、少なくとも21日前にその予告をしなければならず、21日前に予告をしない場合には、21日分以上の平均賃金を支払わなければならない。

ア ✕

　　使用者は、原則として、①業務上の負傷、疾病により、療養のために休業する期間とその後30日間、②産前産後の休業期間とその後30日間の期間内にある労働者を解雇することができない。

　　①については、療養開始後3年を経過しても負傷または疾病が治らない場合においては、使用者は、平均賃金の1,200日分の打切補償を支払うときには解雇制限の規定は適用されない。打切補償による解雇制限の解除の規定が適用されるのは①の場合のみであり、②（本肢の場合）にはこの規定は適用されない。

イ 〇

　　事業場に労働基準法または労働基準法に基づいて発する命令に違反する事実がある場合においては、労働者はその事実を行政官庁または労働基準監督官に申告することができ、使用者は、その申告をしたことを理由として、労働者に対して解雇その他不利益な取り扱いをしてはならない。

ウ ✕

　　選択肢**ア**で述べたとおり、使用者は、労働者が業務上の負傷、疾病により、療養のために休業する期間とその後30日間は解雇することはできない。しかし、選択肢**ア**の場合であっても、天災事変その他やむを得ない事由のために事業の継続が不可能となった場合は、その事由について所轄労働基準監督署長の認定を受けた場合は解雇制限の規定は適用されない。つまり、本肢の場合は解雇することができる。

エ ✕

　　使用者は、労働者を解雇しようとする場合においては、少なくとも30日前にその予告をしなければならない。30日前に予告をしない使用者は、30日分以上の解雇予告手当を支払わなければならない。

正解　イ

👤 講師より

　労働関連法規の解雇の問題です。解雇の問題の場合は、「解雇制限」と「解雇予告」の2つがよく問われます。この2つを中心に勉強をしましょう。

重要度 Ⓒ **マーケティングコンセプト** R2-28

マーケティング・コンセプトおよび顧客志向に関する記述として、最も適切なものはどれか。

ア 企業は顧客を創造し、顧客の要望に応えることを基礎とする一方で、競合他社との競争にも気を配る必要がある。これらをバランスよく両立する企業は、セリング志向であるということができる。

イ ケーキ店Xが「どの店でケーキを買うか選ぶときに重視する属性」についてアンケートを複数回答で実施した結果、回答者の89％が「おいしさ、味」を選び、「パッケージ・デザイン」を選んだのは26％だった。顧客志向を掲げるXはこの調査結果を受け、今後パッケージの出来栄えは無視し、味に注力することにした。

ウ マーケティング・コンセプトのうちシーズ志向やプロダクト志向のマーケティングは、顧客志向のマーケティングが定着した今日では技術者の独りよがりである可能性が高く、採用するべきではない。

エ マーケティング・コンセプトはプロダクト志向、セリング志向などを経て変遷してきた。自社の利潤の最大化ばかりでなく自社が社会に与える影響についても考慮に入れる考え方は、これらの変遷の延長線上に含まれる。

オ マーケティング・コンセプトを説明した言葉の中に、"Marketing is to make selling unnecessary" というものがあるが、これはマーケティングを「不用品を売ること」と定義している。

解説

ア ✖

「マーケティング」という言葉が生まれる以前は、販売に関しては、「セリング」という言葉が用いられていた。

「セリング志向」とは、売り込む（押し売り）ということである。それに対してマーケティングという言葉は、「売れる仕組みづくり」と表現することができる。

イ ✖

顧客志向を掲げるのであれば、選択肢に書かれているアンケートの結果を踏まえると、89％が選んだ「おいしさ、味」を重要視することはもちろんであるが、26％が選んだ「パッケージ・デザイン」も無視できる数値ではない。

ウ ✖

昨今においては、「シーズ志向」や「プロダクト志向」によってそれまでにはない画期的な製品が生まれることも多い。これは、顧客ニーズをベースにしていないからこそ、消費者の発想にはないものが生み出されることも多いからである。アップル社が生み出している製品などはその典型である。

エ ○

正しい記述である。

オ ✖

「Marketing is to make selling unnecessary」とは、P.F.ドラッカーがマーケティング・コンセプトについて説明した言葉であり、マーケティングを「販売（セリング）を不要にする」と定義したものである。

 正解 エ

講師より

マーケティングの分野は、このように知識を覚えるだけでは対応できない問題が多いのも特徴です。覚えた知識を皆さんの身の回りに置き換えてみることも勉強になります。

重要度 C ターゲットマーケティング、製品＝市場マトリクス

H29-30

次の文章を読んで、下記の設問に答えよ。

マーケターがその活動の場として選択する市場は、ターゲット・マーケット・セグメントあるいは対象市場、標的市場などと呼ばれる。どのような市場セグメントをターゲットとするかは、企業の戦略や資源・能力の多様性に関連している。また、ターゲットとする市場セグメントの選択パターンは、マーケターが対象とする製品と市場、あるいはそのいずれかの選択に依存する。

文中の下線部について、下表の空欄A～Dに当てはまる語句の組み合わせとして、最も適切なものを下記の解答群から選べ。

		市場	
		既存	新規
製品	既存	A	C
	新規	B	D

〔解答群〕

ア A：競争相手の顧客奪取　　B：新製品で顧客深耕
　　C：顧客内シェアの向上　　D：フルライン化による結合効果

イ A：顧客層拡大　　　　　　B：新製品で顧客深耕
　　C：顧客内シェアの向上　　D：製品系列の縮小

ウ A：顧客内シェアの向上　　B：新製品で顧客深耕
　　C：既存製品の新用途開発　D：新製品で市場開拓

エ A：新製品で顧客深耕　　　B：新・旧製品の相乗効果
　　C：顧客内シェアの向上　　D：フルライン化による結合効果

88

A欄

「既存製品」を「既存市場」に投入する市場浸透戦略である。これは、すでに展開している戦略の延長上で販売を拡大していくものである。よって、客単価の上昇、購買点数や購買頻度の増加、競合他社から顧客を奪うといったことが考えられる。解答群の中の文言では、「競争相手の顧客奪取」と「顧客内シェアの向上」があてはまる。

B欄

「新規製品」を「既存市場」に投入する新製品開発戦略である。解答群の中の文言では、「新製品で顧客深耕」と「新・旧製品の相乗効果」があてはまる。

C欄

「既存製品」を「新規市場」に投入する新市場開拓戦略である。新たな市場（顧客）に販売を拡大していくものである。解答群の中の文言では、「既存製品の新用途開発」があてはまる。

D欄

「新規製品」を「新規市場」に投入する多角化戦略である。解答群の中の文言では、「フルライン化による結合効果（相乗効果とほぼ同義）」と「新製品で市場開拓」があてはまる。

 正解　ウ

講師より

　ターゲットマーケティングの問題です。本問では、経営戦略論で学習した製品＝市場マトリクスが論点になっています。製品＝市場マトリクスは、直接の内容を問われる出題はあまりありませんが、企業戦略においての基本となりますので、教科書の板書を利用して**4つの戦略の基本**をしっかりと理解しましょう。

重要度 **C** マーケティングリサーチ
PPM、SWOT分析

H29-31改題

市場動向を把握し、競合となりうる製品・企業を特定するための作業について、最も適切なものはどれか。

ア PEST分析は、組織の外部環境を捉えるための方法である。これは、政治的環境、企業文化的環境、社会的環境、技術的環境という4つの側面から外部環境を把握することを支援する。

イ SWOT分析は、組織の内部環境の把握に限定した方法であるが、自社の強みと弱み、機会と脅威のそれぞれを構成する要素を整理するために有用である。

ウ 相対的市場シェアとは、最大の競争相手の市場シェアで自社の市場シェアを割る（除する）ことで算出される数値である。この値が50％を超えていれば、自社はその市場のリーダー企業である。

エ 有効市場とは、ある製品・サービスに対する十分な関心をもち、購買に必要な水準の収入を有しており、かつその製品・サービスにアクセスすることができる消費者の集合のことである。

解説

ア ✕

　PEST分析とは、「Political/Legal（政治的、法律的）」「Economical（経済的）」「Social/Cultural（社会的、文化的）」「Technological（技術的）」という4つの側面から外部環境を把握することを支援するものである。

イ ✕

　SWOT分析とは、組織の内部環境の把握に限定した方法ではない。

ウ ✕

　相対的市場シェアの値が100％を超えていれば自社の市場シェアが最大の競争相手の市場シェアよりも大きいということであるため、自社はその市場のリーダー企業である。

エ 〇

　市場の定義の仕方にはさまざまなレベルがある。①潜在市場（特定の製品やサービスに対してある程度関心があることを明言した消費者の集合）、②有効市場（①を満たしたうえで、十分な支払い能力があり、その製品にアクセスすることが可能な消費者の集合）、③適確有効市場（②を満たしたうえで、法的にもその製品を購入する資格がある消費者の集合）、④対象市場（③を満たした市場のなかで、企業がターゲットとすることを決定した消費者の集合）、⑤浸透市場（④のなかで、すでに自社の製品を購入した消費者の集合）である。

 正解　エ

講師より

　PPMとSWOT分析などが、マーケティング分野にて出題されました。企業経営理論では、経営戦略論の内容がマーケティングや組織論で出題されたりするのは珍しくありません。慌てずに対応しましょう。**SWOT分析は、2次試験でも使う重要な分析ツール**です。中身を覚えるだけでなく、このツールが使いこなせるように学習しましょう。

重要度 **B** 消費者購買行動①

H27-31

次の文章を読んで、下記の設問に答えよ。

人は、一般的に、自分にとって最良と思われる商品を購入する。しかし、購入後に「本当にこの選択でよかったのか」、「迷ったもうひとつの商品のほうがよかったのではないか」と思い悩むことは、決して珍しいことではない。購入した商品は最良と思う一方で、他の商品のほうがよかったのではないかとも考える。人は、こうした2つの認識の矛盾から、<u>心理的な緊張</u>を高める。

設問1

文中の下線部の「心理的な緊張」状態を表す語句として、最も適切なものはどれか。

ア サイコグラフィックス

イ 認知的不協和

ウ バラエティシーキング

エ ブランドスイッチング

設問2

文中の下線部の「心理的な緊張」状態に関する記述として、最も適切なものはどれか。

ア　この状態が生じると、好ましい情報を求めて、当該企業のホームページや広告を見る傾向がある。

イ　この状態が生じると、当該購買行動が非常に重要な出来事であったかのように過大に感じる。

ウ　この状態は関与が低くブランド間知覚差異が小さいと生じやすい。

エ　この状態は信頼財よりも探索財や経験財において生じやすい。

解説

設問1

「認知的不協和」とは、フェスティンガーによって提唱された認知的な動機づけについての理論である。人間は自己の内部で矛盾が生じた際には心理的な緊張を高めることになるが、このような状態を認知的不協和という。

正解　イ

設問2

ア ○

認知的不協和を解消するための行動である。

イ ×

人は自らの信念や行動とは矛盾する新たな考えを突きつけられると、当該購買行動を重要な出来事（失敗）であったと過大に感じるわけではなく、むしろ妥当であったと考え、重要性を否定することになる。

ウ ×

認知的不協和による不快感の強さは、思い入れが強かったりする信念ほど、それが否定されたときには強烈な不快感を抱くことになる。よって、関与が高い場合に生じやすくなる。また、自らが購入したブランドの短所を発見したり、購入しなかったブランドの長所を発見したりした際に生じるため、ブランド間知覚差異が大きくなった場合に生じやすくなる。

エ ×

「信頼財」とは、購入・使用後も評価が困難な財である。また、「探索財」とは、購入する前に顧客が製品について調べ、評価が可能な財であり、「経験財」とは、購入後や使用中に評価が可能な財である。信頼財の場合には、購入・使用後でさえ、その購買行動が良かったのか否かの判断が困難であるため、他のブランドの長所を認識した場合に認知的不協和が生じやすい。

正解　ア

設問1 は、他の選択肢の用語も重要なのでしっかりと学習しましょう。

・**サイコグラフィックス**：ターゲットマーケティングで市場を細分化するときの基準のうちのひとつ。ライフスタイル、行動、信念（宗教）、価値観、個性、購買動機、商品使用程度といった消費者の心理的な側面によって、市場を細分化する。

・**バラエティシーキング**：消費者が、購入するブランドを抵抗なくスイッチする行動のこと。

・**ブランドスイッチング**：消費者がそれまで購入していたブランドから、他のブランドに購入するブランドを替えること。

設問2 は、**認知的不協和**に関する問題です。この状態が生じると、たとえば、自らが購入した商品の広告を見てあらためて長所を探したり、購入しなかった商品の欠点を探したりします。よって、（自らが購入した商品についての）好ましい情報を求めて、当該企業のホームページや広告を見るといった行動が見られます。

重要度 **B** 消費者購買行動② クチコミ R3-34

クチコミに関する記述として、最も適切なものはどれか。

ア ある消費者に対して、その消費者がまだ全く知らない製品やサービスについて知らせるためには、広告よりクチコミの方が受け入れられやすい傾向がある。

イ 一般的に大規模なオンライン・コミュニティでは、自ら発言や投稿をせずに他の参加者の様子を見ているだけの参加者が全体の半分程度含まれることが知られている。このような参加者はオンライン・コミュニティに悪影響を及ぼすため、企業がオンライン・コミュニティを開設しマーケティングに活用する際には、すべての参加者が活発に発言するように誘導するべきである。

ウ コミュニティとは一般に共通の関心や地理、職業などによって参加者が結びついた集団を指す。中でもオンライン・コミュニティはソーシャルメディア上に開設されるものが多いため、地理、職業などの社会的要因を軸に参加者が結びつくことが特徴である。対照的にオフライン・コミュニティでは、参加者が共通の関心によって結びつくものが多い。

エ ネガティブなクチコミほど広まりやすいことが知られているが、このことからも分かるように消費者は製品やサービスの欠点を確認し回避するためにクチコミを利用する傾向が強い。これに対して、製品やサービスの長所を確認するために参照する情報としては、企業が発信する広告の方が全般的に信頼できる。

解説

ア ○

正しい記述である。

イ ✕

　一般的に大規模なオンライン・コミュニティでは、自ら発言や投稿をせずに他の参加者の様子を見ているだけの参加者が約90％いるとされている。見ているだけの参加者がオンライン・コミュニティに悪影響を及ぼすわけではないし、企業側からすべての参加者が活発に発言するように誘導するべきでもない。そのようなことをすれば、発言したくない参加者はそのコミュニティから離れていくであろう。

ウ ✕

　オンライン・コミュニティは、コミュニティ形成において地理的な制約もなく、日常の社会生活とは別の共通項によって形成されることが多い。よって、オンライン・コミュニティは、参加者が共通の関心によって結びつくものが多い。対照的にオフライン・コミュニティは、リアルな交流によって形成されるコミュニティである。よって、地理、職業などの社会的要因を軸に参加者が結びつくことが特徴である。

エ ✕

　ネガティブなクチコミほど広まりやすいことは正しい。また、企業側が発信する情報は、基本的には良い面が中心（すべて）になるため、何が長所であるのか、そして、それがどの程度の水準であるのかが客観的に理解しにくい。そのため、製品やサービスの長所を確認する際にも、やはりクチコミを利用する傾向が強くなる。

 正解 ア

講師より

　SNSの発展により、クチコミを活用したマーケティングは一般的になっています。皆さんの中でも、家族や友人のクチコミで商品を購入した経験がある方も多いと思います。企業側にとっては、それだけ消費者クチコミは重要です。今後もクチコミに関する問題は出題される可能性があるので、普段から意識をしておきましょう。

重要度 **Ⓐ** 消費者購買行動③ 関与 R元-34

　消費者の情報処理や購買意思決定に影響をもたらす関与に関する記述として、最も適切なものはどれか。

ア 関与とは製品カテゴリーに限定した消費者の関心度、重要度の程度のことである。

イ 関与の水準は、消費者によって異なるが、当該消費者においては変動せず、安定的である。

ウ 高関与な消費者に対して、商品の金銭的・社会的リスクや専門性を知覚させることで、企業は自社が行うマーケティング・コミュニケーション活動への反応を高めることができる。

エ 低関与である場合、消費者は購買したり、利用したりする前に、製品に対する慎重な評価を行う。

解 説

ア　✕

　関与とは、製品やサービスなどの対象と消費者の中心的な価値との結びつきである。また、関与対象として想定するのは、製品、ブランド、購買といったものがある。製品カテゴリーに限定した概念ではない。

イ　✕

　関与の水準が消費者によって異なることは正しい。しかしながら、選択肢**ア**の解説でも述べたように、関与はさまざまな観点で用いられる。そのため、たとえば、特定の消費者であっても、関与が高い製品カテゴリーもあれば、低い製品カテゴリーもある。よって、当該（特定の）消費者において変動しないということはない。

ウ　○

　高関与な消費者に対して、商品の金銭的・社会的リスクや専門性を知覚させれば、その消費者は積極的な情報探索をするなど、より一層関与の高い購買行動を採ろうとする。このような状況になれば、企業が行うマーケティング・コミュニケーション活動に対して、消費者は高い反応を示すことになる。

エ　✕

　低関与である場合には、消費者は購買したり、利用したりする前に、製品に対する評価にあまり時間や労力を費やさなくなる（慎重な評価は行わない）。

 正解　ウ

👤 講師より

　関与について直接問われた問題です。関与は毎年複数の問題にかかわる重要ワードです。本問もそうですが、関与について理解していないと解けません。しっかりとワードのイメージをつかみましょう。

重要度 **A** 消費者購買行動④　準拠集団　　R4-27改題

消費者行動における準拠集団に関する記述として、最も適切なものはどれか。

ア　準拠集団とは、消費者の評価や願望、行動に重要な影響を及ぼす実在または想像上の集団を指す。実在する特定の個人から受ける影響は、準拠集団による影響には含まれない。

イ　準拠集団は、実際の知り合いから構成される集団と、自らが所属していないが憧れを抱いている集団とに分類することができる。前者は所属集団、後者は理想集団と呼ばれる。

ウ　消費者が準拠集団から受ける影響の1つに、行動や価値観の伝播がある。これは、準拠集団に属する人々と似た行動をとったり、同じブランドを購入したりすることなどを指し、価値表出的影響と呼ばれる。

エ　消費者が準拠集団から受ける影響の1つに、情緒の伝播がある。これは、準拠集団に属する人々の感情に共感することによる影響であり、功利的影響と呼ばれる。

ア ✗

準拠集団が、消費者の評価や願望、行動に重要な影響を及ぼす実在また
は想像上の集団を指すことは正しい。そして、実在する特定の個人から受
ける影響も準拠集団による影響に含まれる。

イ ✗

準拠集団は、実際の知り合いから構成される集団と、自らが所属してい
ないが憧れを抱いている集団、そして、所属したくないと考える集団に分
類される。そして、これらは順番に、所属集団、願望集団（理想集団ではな
い）、拒否集団とよばれる。

ウ ○

消費者が準拠集団から受ける影響について、①情報的影響、②功利的影
響、③価値表出的影響の３つがある。

価値表出的影響では、準拠集団に属する人々と似た行動をとったり、同
じブランドを購入したりするといった形で、行動や価値観の伝播が生じ
る。

エ ✗

消費者が準拠集団から受ける影響として情緒の伝播があり、これは準拠
集団に属する人々の感情に共感することによる影響であることは想定され
る。しかしながら、功利的影響とは他者の好みや評価からの影響である
（他者の好みや、他者からどのように評価されるかが、自らの行動に影響を及ぼす）。

 正解　ウ

講師より

　人は、自分で商品を選んで購入しているようで、周りの人たちの影響を受けているも
のです。それをわかりやすく説明しているのが準拠集団です。まずは「どのような集団
が影響を与えているのか」から整理してみましょう。

重要度 Ⓑ **消費者購買行動⑤**

R5-35改題

次の文章を読んで、下記の設問に答えよ。

消費者ニーズの充足や顧客満足の向上を目指すマーケティングにとって、消費者を理解することは不可欠である。企業は、<u>消費者の購買意思決定プロセス</u>や消費者に及ぼす心理的効果についての理解を通して、適切なマーケティングを実行していく必要がある。

文中の下線部に関する記述として、最も適切なものはどれか。

ア 購入したブランドの欠点と購入しなかったブランドのベネフィットなどを考えた結果、生じる認知的不協和には、自分なりの基準に見合う商品が見つかれば購入に至るタイプの消費者よりも、選択に膨大な時間と手間をかけて最高の選択をしようとするタイプの消費者の方が陥りやすい。

イ 購買意思決定に必要な情報探索は、広告や販売員の説明といった売り手主導のマーケティング情報を探すという外部情報探索と、クチコミなどの買い手によるマーケティング情報を探すという内部情報探索とに分類される。

ウ 購買意思決定プロセスのスタートは、消費者が満たされていない特定のニーズを認識することから始まるが、こうしたニーズのうち、企業がアンケート調査を実施しても把握することができないニーズは真のニーズである。

エ 消費者の意思決定に及ぼす準拠集団の影響の中で、消費者が自分のイメージを高めたりアイデンティティを強化できると期待して、憧れや尊敬を抱く集団と同じブランドを購入したり利用したりするという形で現れる影響のことを情報的影響という。

ア ○

　自分なりの基準に見合う商品が見つかれば購入に至るタイプの消費者は、そもそも自分なりの基準があり、それを満たす商品を購入しているため、認知的不協和に陥る可能性が低い。

イ ✕

　広告や販売員の説明といった売り手主導のマーケティング情報を探すのは、外部情報探索の説明として正しい。しかしながら、クチコミなどの買い手によるマーケティング情報を探すのも外部情報探索である。

ウ ✕

　購買意思決定プロセスのスタートは、消費者にとって解決すべき何らかの問題を消費者が認識することである。真のニーズは潜在的な状態であることが少なくないため、購買意思決定プロセスのスタートにおいて必ず認識できるものではない（このニーズを認識することから始まると言い切れるものではない）。

エ ✕

　選択肢の内容は、価値表出的影響である。

 正解　ア

講師より

　消費者購買行動に関する複数のことについて聞かれた問題です。選択肢にある「認知的不協和」、「クチコミ」、「外部情報探索と内部情報探索」、「準拠集団」はいずれも重要な論点になります。一つずつしっかりと情報整理をして学習しましょう。

次の文章を読んで、下記の設問に答えよ。

　Aさんはアウトドア・グッズを品揃えする専門店を営んでいる。単独店舗による経営で、従業者はAさんを含む3名である。開業時からスポーツ自転車を取り扱ってきたが、ここ数年の自転車ブームを受けて、「この小売店オリジナルの自転車や関連雑貨を用意してほしい」という顧客の声が目立っている。Aさんは、「PB商品の品揃えは、大きな小売業者でなければ難しいのではないか」と思い込んでいたが、様々な事例を参考にすべく、関連するテーマの本や雑誌を読んだり、各地の小売業者に話を聞きに行ったりしながら、自店のPB商品導入を検討している。
②

[設問1]
　文中の下線部①に示す「PB」に関する記述として、最も適切なものはどれか。

ア PB商品は、その登場から現代に至るまで、一貫して劣等財として消費者の間で普及している。

イ PB商品を販売することができるのは、小売業者に限られた特権である。

ウ PBは、パーソナル・ブランドの略称であり、ヨーロッパでは、オウン・ブランドと呼ばれることもある。

エ 品揃えにおけるPB商品の構成比が高まると、消費者の不満を招くことがある。

設問2

　文中の下線部②に関連して、小売業者のPB商品の一部導入に関する記述として、最も適切なものはどれか。

　ア　PB商品の導入によって、NB商品の一部が小売業者の店頭から姿を消すため、小売業者の独立性が低下する。

　イ　PB商品の導入によって、消化仕入れの取引条件を活用することが可能となり、在庫保有に起因する危険負担を軽減することができる。

　ウ　PB商品の導入によって、商圏内の競争関係にある店舗との間で、自らの店舗が独占的状況を作り出しやすくなる。

　エ　PB商品の導入によって、自らが価格設定を行う必要がなくなるので、仕入れに関する多くの業務を削減することができる。

解説

設問1

ア ✕

従来のPBが付された商品は、安価なものが多く、劣等財（下級財）としてのイメージが強かった。しかしながら、現代では、高付加価値なPB商品が数多く登場しており、そのイメージは変容してきている。

イ ✕

PB商品を販売するのは流通業者（小売業者や卸売業者）であるため、小売業者だけでなく卸売業者も販売する。

ウ ✕

PBはパーソナル・ブランドではなく、プライベートブランドである。PBがヨーロッパにおいてオウン・ブランドとよばれることがあるのは正しい。

エ ○

品揃えにおいてPB商品の構成比が高まるということは、相対的にNB商品（ナショナルブランド）の構成比が低下するということである。多くの商品カテゴリーにおいては、NB商品のほうが知名度が高いため、その割合が低下すれば消費者の不満を招くことは考えられる。

 正 解　エ

設問2

ア ✕

店頭のスペースには限りがあるため、PB商品の導入によって、NB商品の一部が小売業者の店頭から姿を消すことは考えられる。しかしながら、PB商品はその小売業者独自のブランドであるため、むしろ独立性は高まることになる。

イ ✕

消化仕入れとは、メーカーや卸売業者が商品の所有権を保有しつつ、小

売業者が販売するものである。PB商品はその小売店独自の商品となるため、小売店が所有権を保有して販売するのが一般的である。そのため、消化仕入れの取引条件を結ぶことはない。

ウ ○

正しい記述である。

エ ✕

PB商品は小売業者の独自商品であるため、価格設定は小売業者自らが行うことになる。

 　ウ

🧑‍🏫 講師より

　設問1 は、ブランド使用者による分類の問題です。ブランドはさまざまな観点によって、分類が変わります。一番基本となるのが、使用者による分類です。**ナショナルブランド（NB）**と**プライベートブランド（PB）の特徴**は、しっかり押さえましょう。

　PBの問題は、1次試験だけでなく、**2次試験の事例Ⅱ（マーケティング・流通）**でも出題されています。PB商品の開発は、卸売業や小売業にとって、競合店との差別化を行えるひとつの方法となります。PB以外のブランド戦略で、2次試験でよく出されるのが地域ブランドです。地域と企業が連携してその土地の魅力を発信すると、観光客が増えたり、名産品が購入されたりして、その地域と共に発展することに繋がります。

重要度 **A** ブランド②

H28-31改題

次の文章を読んで、下記の設問に答えよ。

　多くの消費者の支持を得ることができたブランドをどのように管理し、成長させていくかは、企業収益を左右する重要な課題である。ブランド開発戦略として説明されているように、例えば、同じブランド名を用いて、同じカテゴリーに形、色、サイズ、フレーバーなどを変えた製品を導入する　A　や異なるカテゴリーの新製品を導入する　B　がとられる。

　同一ブランドでのさらなる市場浸透策が難しいと判断される場合には、同じカテゴリーに新ブランドを展開する　C　や、他社との共同開発という形をとり、自社のブランド名と他社の人気ブランド名の2つを同一製品で用いる　D　が検討される。

　文中の空欄A～Dに入る語句の組み合わせとして、最も適切なものはどれか。

ア　A：ブランド拡張　　　　B：マルチ・ブランド
　　　C：ライセンス・ブランド　D：ライン拡張

イ　A：マルチ・ブランド　　B：ブランド拡張
　　　C：ライン拡張　　　　　D：コ・ブランディング

ウ　A：マルチ・ブランド　　B：ライン拡張
　　　C：コ・ブランディング　D：ブランド拡張

エ　A：ライン拡張　　　　　B：コ・ブランディング
　　　C：マルチ・ブランド　　D：ブランド拡張

オ　A：ライン拡張　　　　　B：ブランド拡張
　　　C：マルチ・ブランド　　D：コ・ブランディング

空欄A

　「同じブランド名」を用いて「同じカテゴリー」に製品を導入するのは、「ライン拡張」である。

空欄B

　「同じブランド名」を用いて「異なるカテゴリー」に新製品を導入するのは、「ブランド拡張」である。

空欄C

　「同じカテゴリー」に「新ブランド」を展開するのは、「マルチ・ブランド」である。

空欄D

　他社との共同開発によって「自社のブランド名」と「他社の人気ブランド名」の2つを同一製品で用いるのは、「コ・ブランディング」という。

 正解　オ

　講師より

　4つのブランド戦略に関する問題です。企業が新たな製品を市場に投入する際に、既存製品で使用しているブランド名を用いるのか否か（新しいブランド名を用いるのか）、また、その製品が既存製品と同一のカテゴリーなのか否かによってブランド戦略は4つに分類されます

　空欄AとBに出てきた**ライン拡張**と**ブランド拡張**は、混同しやすいので注意して覚えてください。

重要度 **C** ブランド③

ブランドに関する記述として、最も適切なものはどれか。

ア 既存ブランドの下で分野や用途、特徴などが異なる新製品を発売することをブランド拡張と呼び、流通側から見た場合にはさまざまなメリットがある。しかしメーカー側から見ると、ブランド拡張には当該新製品が失敗した場合に既存ブランドを毀損するリスクがある一方で、メリットは特にない。

イ 自社ブランドの競合ブランドからの差異化を目指す相対的側面と、消費者から見て自社ブランドに他にはないユニークな価値を持たせる絶対的側面とは、どちらもブランドのポジショニング戦略に含まれる。

ウ 製品カテゴリーなどを提示し、当該カテゴリー内で思いつくすべてのブランドを白紙に書き出してもらう調査により、ブランドの純粋想起について調べることができる。これに対して、ブランド名を列挙し、その中で知っているものをすべて選択し回答してもらう調査は精度が低いため、得られる結果の信頼性も低い。

エ ブランドとは、消費者の記憶に明確に保持されている最終製品の名称を指す。製品の中に使用されている部品や素材などにも名称が付けられていることがあるが、これらはブランドではない。

オ ブランドは、ナショナル・ブランド（NB）とプライベート・ブランド（PB）に分けることができる。PBは大手小売業などの流通業者が開発し製造・販売するもので大手メーカーは関わらないため、PBの売り上げが増えるほどNBを展開する大手メーカーの売り上げは減少する。

ア ✕

メーカーがこのようなブランド戦略によって製品を展開した場合、流通側やメーカーから見ても、そのブランドにブランド力があれば、その新製品が早期に販売拡大できる可能性があるなどメリットがある。

イ 〇

自社ブランドのポジショニング戦略を構築する際には、競合ブランドと差異化を図って異なるポジショニングとする相対的側面と、消費者から見て自社ブランドがほかにはないユニークな価値（オンリーワン）を持たせる絶対的側面があり、ポジショニングを考える際には、この両方の視点で考えることが有効になる。

ウ ✕

前半の記述は正しい。一方、ブランド名を列挙し、その中で知っているものをすべて選択して回答してもらう調査は助成想起といい、ブランド知名度をはかるひとつの手法となる。この調査手法自体が、精度が低いということはないし、得られる結果の信頼性も低いということはない。

エ ✕

ブランドは、最終製品だけでなく、製品の中に使用されている部品や素材などの名称にも用いられており、これを成分ブランディングという。

オ ✕

PBは大手メーカーがかかわらないというわけではない。流通業者は基本的には製造機能を有していないため、実際の製造はOEMなどの形で大手メーカーに委託することが多い。そのため、売上げは増加する側面もある。

正解 イ

講師より

この問題のように、教科書以外のブランドの知識もたくさん出ます。そのぐらいブランドの戦略はたくさんあります。「教科書にないから知らなかった」で終わらせるのではなく、「インプットの機会」だと思って、過去問で出会ったワードの意味も理解しましょう。

重要度 **Ⓐ** **価格戦略①**　　　　　　　　　　H27-28

価格政策に関する記述として、最も適切なものはどれか。

ア　EDLPを実現するためには、メーカーとの交渉を通じて一定期間の買取り数量を決め、納入価格を引き下げ、価格を固定し、自動発注化や物流合理化などを促進する必要がある。

イ　キャプティブ（虜）・プライシングは、同時に使用される必要のある2つの商品のマージンを各々高く設定する価格政策である。

ウ　ターゲット・コスティングによる価格決定は、ある製品に要する変動費と固定費の水準をもとにして、そこにマージンを付加する方法である。

エ　日本の小売業では、チラシを用いた特売を活用したロスリーダー方式が採用される場合が多い。その主な狙いは消費者による単品大量購買を喚起することである。

ア ○

正しい記述である。

イ ✗

キャプティブ（虜）・プライシングとは、2つの商品のマージンを各々高く設定するわけではない。

ウ ✗

ターゲット・コスティングとは、目標価格を出発点とし、そこから必要とする目標利益を算出することで、目標（ターゲット）とするコストを設定していくものである。よって、価格主導で組み立てていくものであるため、変動費と固定費といったコストをもとにして組み立てていくものではない。

エ ✗

ロスリーダー方式とは、単品大量購買を喚起することではない。

 正解 **ア**

講師より

　価格戦略の問題です。価格戦略では多くの価格政策がありますが、覚えるだけで解ける問題も多いです。そのため、早めに覚えるようにしましょう。私たちの身の回りの店舗でも行われている価格政策ですので、**その場面をイメージしながら**学習すると覚えやすくなります。

重要度 Ⓐ **価格戦略②**　　　　　　　　　　　　　　　　　R4-29

次の文章を読んで、下記の設問に答えよ。

　T社が製造し販売する製品は、プライベートでもオフィスでも着ることができるカジュアルな衣料ブランドとして、ターゲットである20代～30代前半の女性を中心に人気を集めている。しかし、近年の新型コロナウイルス感染症（COVID-19）の影響により、人々のプライベートでの外出機会が減り、同時に勤務形態にもリモートワークが普及したため、T社では消費者が同社製品に対して感じる価値やその価格の意味について、改めて調査を行う必要を感じている。同社では、このような調査を通じて当該製品の価格について見直す必要があるかもしれないと考えていた。

設問 1

　文中の下線部①に関する記述として、最も適切なものはどれか。

ア　同じ製品でも、その製造プロセスなどに消費者を巻き込んでいくことを通じて、より高い価値を感じてもらうことが可能である。この場合、結果としてより高い価格で買ってもらうこと以外に、価格を据え置くことによって、より高い顧客満足を感じてもらうという選択肢もある。

イ　消費者が価格に対して感じる意味とは「支出の痛み」であるから、価格が下がれば支出の痛みは和らぎ、価格が上がれば支出の痛みは強くなる。このため日用品の分野では、通常は価格を上げれば売り上げは低下する。このような財は「ギッフェン財」と呼ばれる。

ウ　消費者が製品が提供する価値に対して支払ってもよいと感じる価格は状況によって異なることがあるが、一物一価の原則により、同一製品に異なる価格をつけることは禁止されている。

エ　消費者が製品の品質を判断するために用いる情報はブランドではなく

価格である。このため、どのような価格を設定するかは、消費者の品質
判断に強い影響を及ぼす。

オ プレステージ性が高いラグジュアリー・ブランドでは、価格が上がる
ことによって、より高い価値を感じる消費者もいる。この理由は、プロ
スペクト理論によって説明することができる。

設問2

文中の下線部②に関する記述として、最も適切なものはどれか。

ア 企業が製品につける価格を通じて消費者にメッセージを送ることを、
価格シグナリングと呼ぶ。例えば、実際には低品質なのに高価格をつけ
ることにより高品質であるように見せることは価格シグナリングに含ま
れるが、製品にセール価格をつけることは価格シグナリングではない。

イ 消費者が特定の製品に関して感じる価格幅の中間値を留保価格と呼
び、企業は自社のそれぞれの製品の留保価格を考慮して実際の価格を設
定することが望ましい。

ウ 浸透価格とは、一般的には一気に市場シェアを獲得するためにつけら
れる低価格を指し、市場シェアを獲得するためには、慢性的に赤字を出
すほどの低価格をつける。

エ 別々の製品をセットにして、個々の製品の合計価格より安く販売する
価格アンバンドリングでは、セットで販売される製品の間に互換性があ
るほど、消費者のお買い得感が増す。

オ 本体と消耗品を組み合わせて使用する製品で、本体を低価格で、消耗
品を高価格で販売することをキャプティブ・プライシングと呼ぶ。本体
を低価格で販売することによる赤字を回収するためとはいえ、消耗品の
価格を高く設定しすぎることは通常避ける必要がある。

解 説

設問 1

ア ○

同じ製品であっても、その製造プロセスなどに消費者を巻き込んでいくことで、その製品に対する愛着や関与が高まり、より高い価値を感じてもらうことは可能である。このように価値を感じてもらうことができれば、より高い価格で買ってもらうことが可能であるし、あるいは価格を据え置くことによって、より高い顧客満足を感じてもらうという選択肢もある。

イ ✕

ギッフェン財は価格が上がると需要（売上げ）が増加する財である。

ウ ✕

同一製品に異なる価格をつけることが禁止されているということはない。

エ ✕

消費者が製品の品質を判断するために用いる情報としては、価格もひとつの要素であるが（価格の品質バロメーター機能）、ブランドも品質を判断するひとつの要素である。

オ ✕

ラグジュアリー・ブランドなどにおいてはプレステージ性が強い可能性が高いため、価格が上がることによって、より高い価値を感じる消費者もいることは正しい。しかしながら、プロスペクト理論はこのことを説明する理論ではない。プロスペクト理論は、利得と損失に対して人間がどのような感情の変化を引き起こすかを実験経済学的に研究した心理的な価格づけを理論的に説明したものである。

 正解 ア

設問 2

ア ✕

価格シグナリングとは、価格の品質バロメーター機能を生じさせる価格

政策である。よって、価格シグナリングが、価格を通じて消費者にメッセージ（シグナル）を送ることであり、実際には低品質なのに高価格をつけることにより高品質であるように見せることが価格シグナリングに含まれることも正しい。そして、製品にセール価格をつけることも価格シグナリングに該当する。

イ ✕

留保価格とは、特定の製品に関して消費者が妥当であると感じる価格幅の上限を意味する価格である。

ウ ✕

浸透価格（教科書では初期低価格政策、市場浸透価格政策と表記）は、市場シェアを獲得するためとはいえ、慢性的に赤字を出すほどの低価格に設定してしまっては利益を獲得することができず、戦略として不適切である。

エ ✕

価格アンバンドリングは、セット販売せずに、消費者のニーズに合わせて商品内容を組み合わせることができるような販売手法である。また、セットで販売される製品の間に互換性があるとは、その製品が同じ機能を有しているということであるため、通常は消費者としては、両方は不要である。よって、価格バンドリングであったとしてもお買い得感はない。

オ ○

キャプティブ・プライシングは、本体を低価格にすることで購入を促し、消耗品で利益を獲得する価格設定手法である。ただし、消耗品の価格を高く設定しすぎてしまっては、継続的に購入してもらえなくなる可能性が高くなる。

正解　オ

👨‍🏫 講師より

設問2 のウの選択肢で出てきた「浸透価格（教科書では初期低価格政策、市場浸透価格政策と表記）」と、その逆の意味である「初期高価格政策（上澄吸収価格政策）」は特に頻出の単語です。それぞれどのような狙いがあり、最初から低価格や高価格で販売するのかを理解すると学習しやすいです。

重要度 **C** チャネル戦略

H30-28

企業のマーケティング・チャネルに関する意思決定として、最も適切なものはどれか。

ア A氏は、自ら経営するメーカーが生産するLEDデスクライトの大量生産のテスト稼働が始まったことから、新たに直販のECサイトを開設し、消費者の持ち込んだデザインを反映した完全オーダーメードのデスクライトの受注生産に乗り出した。

イ 希少な天然繊維を用いた原料を独占的に調達することができ、その素材を用いたシャツを最大年間2,000枚程度供給することのできるメーカーB社は、少数の取引相手に販売を集約する目標を設定し、先端ファッション雑誌に広告を出稿するとともに、国内に250店舗を有する総合スーパーでの全店取り扱いを目指してバイヤーとの交渉に着手した。

ウ 携帯通信端末の修理に長年携わってきたC社は、大手端末メーカーと変わらない品質の部品調達が可能になったため、格安SIMカードによる音声通話・データサービスを提供する通信事業者と提携し、業務用オリジナル端末と通信サービスを組み合わせたパッケージ商品の提案を開始した。

エ 手作りの知育玩具の製造卸D社の商品Xは、テレビのビジネス番組で報道されたことがきっかけとなり、現在では受注から納品まで1年以上を要するほどの大人気ブランドになっている。そこで、同社は商品Xの普及モデルYを開発し、海外の大規模メーカーへの仕様書発注による商品調達を行い、100円ショップで商品Yを同一ブランド名で販売することを検討し始めた。

ア　✕

　A氏が経営するメーカーは、LEDデスクライトの大量生産のテスト稼働が始まったという状況であり、完全オーダーメードのデスクライトの受注生産を行うというのは、戦略的な整合性がなく、同時に実施するのは得策ではないと考えられる。

イ　✕

　希少な天然繊維を用いたシャツを供給することができ、少数の取引先相手に販売を集約する目標を設定しているのであれば、国内に250店舗を有する総合スーパーでの全店取り扱いを目指すのは戦略的な整合性が取れない。

ウ　○

　C社は携帯通信端末の修理に長年携わることで技術を蓄積し、確かな品質の部品調達も可能になるなど、事業基盤を強固なものにしてきている。このような状況であれば、通信事業者と提携して、業務用のオリジナル端末と通信サービスを組み合わせたパッケージ商品の提案という新たな事業を展開することは妥当性があるであろう。

エ　✕

　D社が取り扱っている商品Xは、ブランド価値が高まっているため、同一ブランドを普及モデルにも展開し、手作りではなく海外の大規模メーカーに製造を委託し、100円ショップで取り扱うほど低価格帯で販売してしまっては、築き上げてきたブランド価値が失われることになる。よって、このような戦略をとるのは得策ではない。

正 解　ウ

講師より

　マーケティングの問題が難しいのは、この問題のように知識を問われるのではなく、状況に合わせた考えを問われるところにあります。知識を覚えるだけでは得点できません。このような問題に対応するためには、問題慣れが重要になります。同様な過去問を見つけたら積極的にチャレンジしましょう。

重要度 **C** プロモーション H27-33

プロモーションに関する記述として、最も適切なものはどれか。

ア コーズリレーテッド・マーケティングは、一般的に、当該企業の事業
収益と関連づけない。

イ パブリシティについては、原則として、ニュース性の高い情報であれ
ば、企業がコントロールすることができる。

ウ パブリックリレーションズでは、製品、人、地域、アイデア、活動、
組織、さらには国家さえも対象としてコミュニケーションを実施する。

エ プロモーションミックスとは、広告、セールスプロモーション、パブ
リックリレーションズ、インベスターズリレーションズの4つの活動
を、マーケティング目標に応じて適切に組み合わせることをいう。

ア ✗

コーズリレーテッド・マーケティングとは、特定の製品の売上の一部を社会貢献事業に対して寄付するマーケティング活動のことである。よって通常の寄付行為とは異なり、事業収益と関連づけるのが特徴である。

イ ✗

パブリシティとは、企業がマス媒体に対して新製品情報などのニュース素材を提供する活動であるが、実際にその素材を取り扱うか否かを決めるのは、マス媒体側である。よって、企業側がコントロールすることはできない。

ウ ○

パブリックリレーションズとは、企業がかかわるさまざまな集団（パブリック）との間に良好な関係を形成し、維持していくことである。具体的なパブリックとしては、製品、消費者、従業員、取引先、株主、金融機関、オピニオンリーダー、政府（国家）、マスコミ、地域住民など、事業活動に関連するあらゆる主体が対象になる。

エ ✗

プロモーションミックスとは、広告、セールスプロモーション、パブリックリレーションズ（あるいはパブリシティ）、人的販売の４つの活動を、マーケティング目標に応じて適切に組み合わせることをいう。

 ウ

講師より

　プロモーションミックスに関する問題です。プロモーションミックスの広告、セールスプロモーション、パブリシティ、人的販売の４つにおいては整理しておきましょう。特に**パブリシティ**はイメージがしづらいところですので、広告との違いを意識しながら勉強をしましょう。

重要度 Ⓐ **関係性マーケティング①**

H30-36改題

次の文章を読んで、下記の設問に答えよ。

　顧客リレーションシップのマネジメントにおいて、企業は、<u>収益性の高い優良顧客を識別し、優れた顧客価値を提供することで関係性の構築、維持、強化に努め</u>、ブランド・ロイヤルティなどの成果を獲得することを目指している。

文中の下線部に関する記述として、最も適切なものはどれか。

ア　初めて購入した顧客がリピート顧客、さらには得意客やサポーターになるように、関係性にはレベルがある。自分のすばらしい経験を、顧客が他者に広めているかどうかは、関係性レベルの高さを判断するための手段となる。

イ　パレートの法則をビジネス界に当てはめると、売上の50％が上位50％の優良顧客によって生み出される。

ウ　優良顧客の識別には、対象製品の購買においてクロスセルやアップセルがあったか否かは重視されない。

エ　優良顧客の識別のために用いられるRFM分析とは、どの程度値引きなしで購買しているか（Regular）、どの程度頻繁に購買しているか（Frequency）、どの程度の金額を支払っているのか（Monetary）を分析することである。

解 説

ア ○

　企業にとって顧客は、新規顧客、１度だけ購入した顧客、リピートした顧客、継続的に購入する顧客（得意客）、ロイヤルティが高く、口コミによって他者に伝達してくれる顧客など、さまざまなレベルがあり、これらは関係性のレベルの高さを判断するための手段となる。

イ ×

　パレートの法則では、売上の80％が上位20％の優良顧客によって生み出されるとされている。

ウ ×

　クロスセル（ある商品を購入した顧客に、その商品に関連した別種の商品を推奨して販売する行為）やアップセル（ある商品を購入した顧客に、同種のさらに高額の商品を推奨して販売する行為）があったか否かは、優良顧客の識別にあたって重視される。

エ ×

　どの程度値引きなしで購買しているか（Regular）は、RFM分析において分析する観点ではない。

 正解　ア

講師より

　経営資源が大企業に劣ってしまう中小企業にとっては、小さい規模でもできる関係性マーケティングは重要です。普段皆さんが利用している飲食店や小売店、サービス業でも、関係性マーケティングを行っているところは多いはずです。理解を深めるために少し意識してみましょう。

重要度 Ⓐ **関係性マーケティング②** R4-31

リレーションシップ・マーケティングに関する記述として、最も適切なものはどれか。

ア パレートの法則とは、売上げの80％が上位20％の顧客によってもたらされるとする経験則であり、上位20％の顧客を重視することの根拠となるが、この法則が当てはまらない業界もある。

イ リレーションシップ・マーケティングにおいて優良顧客を識別するために用いられる方法の１つにRFM分析があり、それぞれの顧客が定価で購買している程度（Regularity）、購買頻度（Frequency）、支払っている金額の程度（Monetary）が分析される。

ウ リレーションシップには、さまざまな段階がある。ある消費者がブランドを利用した結果としての経験を他者に広めているかどうかは、実際には悪評を広めるリスクもあるため、リレーションシップの段階を判断する手がかりとしては用いられない。

エ リレーションシップの概念は、B to Cマーケティングにおいて企業が顧客と長期継続的な関係の構築を重要視するようになったために提唱され始めた。これに対してB to Bマーケティングにおいては、企業間の取引は業界構造や慣行に大きく影響されるため、リレーションシップの概念は当てはまらない。

ア ○

パレートの法則とは、売上げ（収益）の80％が上位20％の顧客によってもたらされるとする経験則である。よって、上位20％の顧客を重視することの根拠となる。ただし、当然ながらすべての業界においてこの法則が当てはまるわけではない。

イ ✕

RFM分析がリレーションシップ・マーケティングにおいて優良顧客を識別するために用いられる方法のひとつであることは正しい。そして、RFMは、最終購買日（Recency）、購買頻度（Frequency）、購買金額（Monetary）の3つの視点で顧客をランク付けするものである（定価で購買している程度（Regularity）ではない）。

ウ ✕

顧客とどのレベルまで関係が構築できたか（リレーションシップ）には、さまざまな段階があることは正しい。ある消費者がブランドを利用した結果としての経験を他者に広めている場合に、確かに悪評を広める場合（リスク）もある。しかし、当然ながら良い評価を広めることもあり、リレーションシップの段階を判断する手がかりとなり得るため、用いられないということはない。

エ ✕

リレーションシップの概念は、B to Bマーケティングにおいて企業が顧客と長期継続的な関係の構築を重要視するようになったために提唱され始めた（B to Bにルーツがある）。よって、B to Bマーケティングにおいてリレーションシップの概念が当てはまらないということはない。

 正解 ア

👤 講師より

関係性マーケティングを勉強するうえで、「80対20の法則」、「RFM分析」、「顧客生涯価値」の知識は重要ですし、出題頻度も高いです。これらの知識を整理して、しっかりと学習しましょう。

重要度 Ⓐ デジタルマーケティングと価格戦略

次の文章を読んで、下記の設問に答えよ。

　Y氏は、国内外の生産者への特別発注で仕入れたカジュアル衣料品と雑貨を品揃えする小売店15店舗を、地方都市の商店街やショッピングセンター（SC）の中で、チェーンストア・オペレーションによって経営している。近年、自店舗で取り扱う商品カテゴリーにおけるe-コマース比率が上昇していることを受け、Y氏はオンライン・ショッピングモールへの出店を行っている。実店舗の商圏ではなかなか売り切ることのできなかった商品も遠隔地の消費者が購買してくれるケースが目立ち、今やインターネット店舗事業の販売額が実店舗の販売額を上回るようになっており、顧客の購買履歴を活用した商品提案も好評である。

　今後の課題は、各シーズンの在庫を適切な時期に望ましい価格で販売し、常に新鮮な品揃えを提供することである。そのための手段としてY氏は各種の価格・プロモーション施策を試み、その効果測定を通じた今後の展開の検討を行っている。

　もうひとつの課題は、買い物の目的・状況によって特定の実店舗で購買したり、インターネット店舗で購買したりする顧客の増加が顕著になってきていることである。この点についても今後、有効な対策を講じたいとY氏は考えている。

文中の下線部①に示す「価格・プロモーション施策」に関する記述として、最も適切なものはどれか。

ア Y氏の小売チェーンでは毎年夏、ヨーロッパのメーカーとの製販連携の取り組みを通して仕入れた高品質のポロシャツの販売強化を行っている。例年、3,500円から4,500円の範囲で価格設定をしていたが、需要数量に大きな差はなかった。今年、これを5,200円に設定すると需要数量は激減した。このような効果を、端数価格効果という。

イ Y氏の店舗の品揃えの多くは「こだわりの特注品」であるため、Y氏は過度の値引き販売は極力避けるようにしているが、過去3シーズンにおいては、商品ごとに大幅な値引き価格を表示したセールをしている。これらのセールによる消費者の内的参照価格の低下は起こりにくい。

ウ Y氏は以前、消費者吸引を意図して世界各国から仕入れた雑貨を100円均一で販売するキャンペーンを継続的に実施していた。日本ではほとんどみられない商品ばかりだったため、買い物客の多くは価格を品質判断の手段として用い、「これらは安かろう、悪かろうだろう」という結論に至る場合が目立った。これは、価格の品質バロメーター機能である。

エ Y氏は顧客ひとりあたりの購買単価を上げるための施策として、キャンペーン期間中に一定数量（点数）以上の買い物を行った顧客に対して、次回以降に使用可能なバンドル販売型買い物クーポンを配布した。この種のバンドル販売の欠点は、消費者の内的参照価格が下がることである。

解説

ア ✕

　端数価格効果は、むしろ需要数量を増加させる価格設定の手法であり、本肢のような内容を示すものではない。

イ ✕

　商品の大幅な値引き価格を表示したセールを3シーズンにわたって行えば、消費者の中の内的参照価格はその値引きされた価格へ低下していくことになる。

ウ 〇

　価格の品質バロメーター機能の特徴である。

エ ✕

　価格バンドリングの場合には個別の製品やサービスの価格がわからないため、それ以前から消費者の中にある内的参照価格が下がるといった影響は生じにくい。よって、価格バンドリングの欠点として、消費者の内的参照価格が下がるということはない。

 正解　ウ

講師より

　デジタルマーケティングと、マーケティングの4Pの1つである価格戦略（Price）の問題です。
デジタルマーケティングはそのまま出題されるよりも他の論点と合わせて出されることが特徴です。過去問を解きながら、問題の出題のされ方もきちんと学習しましょう。

MEMO

Ch 9

デジタルマーケティングと価格戦略

重要度 **B** デジタルマーケティング R3-33

インターネット広告に関する記述として、最も適切なものはどれか。

ア インターネット広告では広告主と媒体社との間に、さまざまな技術に基づくサービスを提供する多様なプレーヤーが存在し、極めて複雑な業界構造となっている。このような状況は消費者にはメリットがないため、広告主はこれらのプレーヤーを介さずに、できる限り媒体社と直接やりとりをすることが望ましい。

イ インターネット広告においてインプレッションは広告の総配信回数を示す指標である。従来の広告で用いられてきた、ターゲット全体の何%に広告が到達したかを示すリーチという指標は、インターネット広告には適さない。

ウ インターネット広告の表示をブロックするアドブロックをすべての消費者が導入すると、広告料収入に支えられている多くのビジネスモデルが成り立たなくなり、インターネット上の多くの無料サービスが有償化する可能性もある。アドブロックへの対策として、消費者が見たくなるような広告を提供することも有効である。

エ 企業が自社サイト内に掲出するコンテンツは一般的にはインターネット広告には含まれない。インターネット広告から自社コンテンツにリンクを張ると、消費者がインターネット広告と自社コンテンツとを一体として広告と捉える危険性があるため、このようなリンクはほとんど用いられていない。

オ 従来のテレビ、新聞などのマスメディアに出稿される広告では、同じ番組やコンテンツを見ているすべての消費者は同じ広告を見ていた。これに対してインターネット広告では、コンテンツと広告を切り離す試みが行われているが現状では難しい。このため同じWebサイトやコンテ

ンツを見ているすべての消費者は、基本的に同じ広告を見ているのが現状である。

ア ✕

インターネット広告においては、広告主（広告を出す企業）と媒体社（ヤフー、YouTubeなど）との間に、さまざまな技術に基づくサービスを提供する多様なプレーヤーが存在し、広告主と媒体社との間の仲介役を担っている。仲介者が使うシステムを活用することで、訪問者が関心のある広告を表示することにつながる。よって、消費者にとっては、自らにとって有益な広告を見ることができるというメリットが生じることになる。

イ ✕

インプレッションとは、リスティング広告などがディスプレイ上に表示された回数、すなわち、閲覧者が広告を目にした回数である（広告の総配信回数）。また、リーチとは、掲載された広告がどれだけ多くの人に到達したか（ターゲット全体の何%に広告が到達したか）であるが、この指標（リーチ）がインターネット広告に適さないということはない。

ウ ○

アドブロックとは、ネットの広告をブロックできるソフト（あるいは技術）のことである。消費者はインターネット上で不快な広告をブロックすることで、快適にウェブサイトを閲覧することができる。

選択肢にあるように、仮にすべての消費者がアドブロックを導入してしまうと、広告料収入に支えられている多くのビジネスモデルは成り立たなくなる。そうなると、利用者から料金を徴収せざるを得なくなる（有償化）可能性がある。広告ビジネスを存続させていくためには、消費者が見たくなるような広告を提供することが求められる。

エ ✕

インターネット広告は、通常はディスプレイ広告（バナー広告）やリスティング広告といったものが該当し、企業が自社サイト内に掲出するコンテンツは、一般的にはインターネット広告には含まれないことは正しい。そして、インターネット広告から自社コンテンツにリンクを張ることで、消費者を自社コンテンツに誘導することができ、このようなリンクは多く用いられている。

オ ✕

　たとえば、消費者が同じテレビ番組を見ていれば、その間に流れるCMは同じであるし、同じ新聞を読めば、紙面には同じ広告が掲載されている。それに対して、インターネット広告の場合、同じWebサイトやコンテンツを見ているすべての消費者が、基本的に同じ広告を見ているわけではない。消費者のそれまでのインターネット上における行動によって、掲載される広告は異なることになる。よって、インターネット広告においてコンテンツと広告を切り離す試みはすでに行われている。

 ウ

　デジタルマーケティングの中のインターネット広告の問題です。
　インターネット広告の強みのひとつは、広告の効果を検証しやすいことです。そのため、「リーチ」、「GRP」、「フリクエンシー」などの広告効果の重要ワードはしっかりとおさえておきましょう。

重要度 Ⓐ

デジタルマーケティングと消費者購買行動

R元-30設問2改題

次の文章を読んで、下記の設問に答えよ。

マスメディアとさまざまなプロモーショナル・メディアを組み合わせたコミュニケーションを前提としてきた伝統的なマーケティングから、近年急速にデジタル・マーケティングへのシフトが進んでいる。このシフトは、消費者同士の情報交換がソーシャルメディアなどを介して盛んに行われるようになっていることに対応した動きでもある。

文中の下線部に関する記述として、最も適切なものはどれか。

ア クチコミには、経験しないと判断できない「経験属性」に関する情報が豊富に含まれている。

イ クチコミの利便性を向上するために、クチコミを集約したランキングや星評価などが導入されたことにより、かえってクチコミの利便性が低下している。

ウ 消費者同士がオンライン上で交換したクチコミ情報が蓄積される場所は、蓄積される情報や場の運営に関して消費者が主導権を持っているという意味で「オウンドメディア」と呼ばれる。

エ マーケターが、企業と無関係な消費者であるかのように振る舞って情報を受発信することは、当該企業にとっての長期的利益につながる。

ア ○

消費者が製品の品質を評価する際の属性は、探索属性、経験属性、信用（信頼）属性の３つに分類される。クチコミは、その製品を使用した（経験した）消費者からの情報であるため、経験属性に関する情報が豊富に含まれることになる。

イ ✕

昨今は、インターネット上にクチコミを集約したランキングや星評価などが導入されたことにより、ブランド間の比較もしやすくなっており、クチコミの利便性が向上している。

ウ ✕

オウンドメディアとは、所有するメディアのことであり、その商品を販売する企業自身が保有するメディアである。消費者同士がオンライン上で交換したクチコミ情報が蓄積される場所は、アーンドメディアとよばれ、SNSサイトや掲示板などが該当する。

エ ✕

マーケターが企業と無関係な消費者であるかのように振る舞って情報を受発信するというのは、ステルスマーケティング（消費者に宣伝と気づかれないように宣伝行為をすること）であり、消費者を欺く行為である。このような活動が発覚すると、大きな信用失墜となる。よって、当該企業にとっての長期的利益につながる活動ではない。

 ア

講師より

皆さんも日常で、グルメサイトやECサイトのレビューを見て、購入の判断を決めることがあると思います。昨今の口コミは、インターネットの発展により、さらに影響を及ぼせる範囲も広くなり、効果も大きくなりました。そのため、口コミとデジタルマーケティングは切っても切り離せません。いろいろな例が身近にありますので、ちょっと意識するだけでも勉強になりますよ。

第2分冊

財務・会計

CONTENTS

Chapter10　原価計算

重要度 **A** 経営分析①

R2-11

　以下の資料に基づき計算された財務比率の値として、最も適切なものを下記の解答群から選べ。

【資　料】

貸借対照表　　　　（単位：千円）

資産の部		負債・純資産の部	
現金預金	25,000	買掛金	40,000
売掛金	22,000	長期借入金	70,000
商品	13,000	資本金	50,000
建物	80,000	資本剰余金	10,000
備品	60,000	利益剰余金	30,000
資産合計	200,000	負債・純資産合計	200,000

損益計算書　（単位：千円）

売上高	250,000
売上原価	180,000
売上総利益	70,000
販売費および一般管理費	40,000
営業利益	30,000
支払利息	4,000
税引前当期純利益	26,000
法人税等	8,000
当期純利益	18,000

〔解答群〕

ア　固定長期適合率は155.6％である。

イ　自己資本比率は25％である。

ウ　自己資本利益率（ROE）は30％である。

エ　当座比率は117.5％である。

　解答要求の経営指標について、①**式の分子と分母**を想起し、②与えられた**財務諸表数値をあてはめる**ことが求められる。

　与えられた財務比率の計算方法は次のとおりである。

経 営 指 標	計 算 式
固 定 長 期 適 合 率	固定資産÷（自己資本＋固定負債）×100（％）
自 己 資 本 比 率	自己資本÷総資本（総資産）×100（％）
自 己 資 本 利 益 率	当期純利益÷自己資本×100（％）
当 座 比 率	当座資産÷流動負債×100（％）

　上記より、各財務比率を計算すると次のとおりとなる。

経 営 指 標	計 算 式
固 定 長 期 適 合 率	$(80,000 + 60,000) ÷ (90,000※ + 70,000) × 100 = 87.5\%$
自 己 資 本 比 率	$90,000※ ÷ 200,000 × 100 = 45\%$
自 己 資 本 利 益 率	$18,000 ÷ 90,000※ × 100 = 20\%$
当 座 比 率	$(25,000 + 22,000) ÷ 40,000 × 100 = \mathbf{117.5\%}$

※自己資本：50,000（資本金）＋10,000（資本剰余金）＋30,000（利益剰余金）＝90,000

　正解　エ

　講師より

　本問は、指標の名称から計算要素である分子と分母が判断しづらい安全性分析が中心の問題です。基本的な問題ではありますが、このような問題こそ繰り返し練習しましょう。

重要度 **B** 経営分析②　R元-11

　当社の貸借対照表および損益計算書は以下のとおりであった。下記の設問に答えよ。

貸借対照表　　　　　（単位：千円）

資産			負債・純資産		
	20X1年	20X2年		20X1年	20X2年
現金預金	11,000	12,000	買掛金	40,000	60,000
売掛金	34,000	38,000	長期借入金	40,000	50,000
商品	35,000	42,000	資本金	50,000	50,000
建物・備品	80,000	108,000	利益剰余金	30,000	40,000
	160,000	200,000		160,000	200,000

損益計算書　（単位：千円）

	20X1年	20X2年
売上高	128,000	210,000
売上原価	84,000	159,000
売上総利益	44,000	51,000
販売費および一般管理費	28,000	30,000
営業利益	16,000	21,000
（以下略）		

設問1

20X2年の固定比率の値として、最も適切なものはどれか。

ア 54%

イ 77%

ウ 120%

エ 216%

設問2

20X1年から20X2年の総資本営業利益率の変化とその要因に関する記述として、最も適切なものはどれか。

ア 総資本営業利益率は上昇したが、その要因は売上高営業利益率の上昇である。

イ 総資本営業利益率は上昇したが、その要因は総資本回転率の上昇である。

ウ 総資本営業利益率は低下したが、その要因は売上高営業利益率の低下である。

エ 総資本営業利益率は低下したが、その要因は総資本回転率の低下である。

設問1

　固定比率が問われている。固定比率は「固定資産÷自己資本×100」と計算される。20X2年度の貸借対照表より、固定比率を計算すると次のとおりである。

● 固定資産

　　建物・備品が固定資産に該当するため、108,000千円

● 自己資本

　　資本金（50,000千円）および利益剰余金（40,000千円）が該当するため、90,000千円

● 固定比率

　　$108{,}000 \div 90{,}000 \times 100 = $ **120%**

 正 解　　ウ

設問2

　総資本営業利益率の変化とその要因が問われている。各経営指標の計算方法は次のとおりである。

経営指標	計算式
総資本営業利益率	営業利益÷総資本×100（％）
売上高営業利益率	営業利益÷売上高×100（％）
総 資 本 回 転 率	売上高÷総資本（回）

経営指標を計算すると次のとおりである。

経営指標	20X1年	20X2年	変化
総資本営業利益率	$16{,}000 \div 160{,}000 \times 100$ $= 10\%$	$21{,}000 \div 200{,}000 \times 100$ $= 10.5\%$	上昇
売上高営業利益率	$16{,}000 \div 128{,}000 \times 100$ $= 12.5\%$	$21{,}000 \div 210{,}000 \times 100$ $= 10\%$	低下
総 資 本 回 転 率	$128{,}000 \div 160{,}000$ $= 0.8$回	$210{,}000 \div 200{,}000$ $= 1.05$回	上昇

　上記の計算より、**総資本営業利益率は上昇したが、その要因は総資本回転**

率の上昇であるといえる。

正解　イ

 講師より

　本問は基本的な経営分析の問題ですが、このような問題ほど、繰り返し練習しましょう。特に、①**式（分母と分子）**と②**優劣の判断（高い方が良いか、低い方が良いか）**を意識して復習しましょう。

重要度 Ⓐ 経営分析③　　　　　　　　　　　　　　H29-11

　次の資料に基づき計算された財務比率の値として、最も適切なものを下記の解答群から選べ。

【資料】

貸借対照表　　　　（単位：千円）

資産の部		負債・純資産の部	
現金預金	40,000	買掛金	40,000
売掛金	30,000	長期借入金	60,000
商品	50,000	資本金	80,000
建物・備品	80,000	利益剰余金	20,000
資産合計	200,000	負債・純資産合計	200,000

損益計算書　（単位：千円）

売上高	240,000
売上原価	120,000
給与	72,000
減価償却費	26,000
営業利益	22,000
支払利息	4,000
税引前当期純利益	18,000
法人税等	9,000
当期純利益	9,000

〔解答群〕

　ア　インタレスト・カバレッジ・レシオは5.5倍である。

　イ　固定長期適合率は80％である。

　ウ　自己資本利益率は11.3％である。

　エ　総資本営業利益率は27.5％である。

解 説

各経営指標の計算式は次のとおりである。

経営指標	計算式
インタレスト・カバレッジ・レシオ	事業利益÷金融費用（倍）
固定長期適合率	固定資産÷（固定負債＋自己資本）×100（％）
自己資本利益率	当期純利益÷自己資本×100（％）
総資本営業利益率	営業利益÷総資本×100（％）

経営指標を計算すると次のとおりである。

経営指標	計算式
インタレスト・カバレッジ・レシオ	22,000÷4,000＝5.5（倍）
固定長期適合率	80,000÷（60,000＋80,000＋20,000）×100＝50（％）
自己資本利益率	9,000÷（80,000＋20,000）×100＝9（％）
総資本営業利益率	22,000÷200,000×100＝11（％）

 ア

 講師より

経営分析は最重要領域のひとつであるため、しっかりと練習しましょう。
特に式（分母と分子）はうろ覚えでなく、反射的に計算できるように訓練することが必要です。

以下の貸借対照表と損益計算書について、下記の設問に答えよ。

貸借対照表（2020年度末）　　　（単位：千円）

資産の部		負債および純資産の部	
Ⅰ　流動資産	40,000	Ⅰ　流動負債	50,000
現金・預金	2,000	Ⅱ　固定負債	34,000
受取手形・売掛金	16,000		
商品	9,000	Ⅲ　純資産	
その他	13,000	株主資本	66,000
Ⅱ　固定資産	110,000		
資産合計	150,000	負債・純資産合計	150,000

損益計算書（2020年度）　　（単位：千円）

Ⅰ	売上高	220,000
Ⅱ	売上原価	160,000
	売上総利益	60,000
Ⅲ	販売費・一般管理費	50,000
	営業利益	10,000
Ⅳ	営業外収益	
	受取利息	4,000
Ⅴ	営業外費用	
	支払利息	1,000
	その他	1,000
	税引前当期純利益	12,000
	法人税、住民税及び事業税	3,600
	当期純利益	8,400

設問1

固定長期適合率として、最も適切なものはどれか。

ア　60%

イ　110%

ウ　150%

エ　167%

設問2

インタレスト・カバレッジ・レシオとして、最も適切なものはどれか。

ア　4倍

イ　11倍

ウ　12倍

エ　14倍

設問1

　固定長期適合率は、固定資産が、長期資本（自己資本と固定負債）によってどの程度カバーされているのかを表す指標である。

$$固定長期適合率 = \frac{固定資産}{自己資本 + 固定負債} \times 100$$

$$= \frac{110{,}000}{66{,}000 + 34{,}000} \times 100$$

$$= 110（\%）$$

 正解　イ

設問2

　インタレスト・カバレッジ・レシオは、事業利益（＝営業利益＋受取利息・配当金）が支払利息などの金融費用の何倍であるかを表す指標である。

$$インタレスト・カバレッジ・レシオ = \frac{事業利益}{金融費用}$$

$$= \frac{10{,}000 + 4{,}000}{1{,}000}$$

$$= 14（倍）$$

 正解　エ

講師より

　インタレスト・カバレッジ・レシオは、1次試験で定期的に出題されています。また、計算ができれば得点できる比較的平易な問題で問われていますので、しっかり計算練習しましょう。

MEMO

重要度 **Ⓑ** 経営分析⑤

H26-9

　以下の資料に基づき、X1年度とX2年度の経営状態の変化を表す記述として、最も適切なものの組み合わせを下記の解答群から選べ。

【資料】

	X1年度	X2年度
売上高純利益率	5％	4％
自己資本比率	50％	40％
総資本回転率	2.0	2.2

a X1年度と比較してX2年度は自己資本純利益率が下落した。

b X1年度と比較してX2年度は自己資本純利益率が上昇した。

c X1年度と比較してX2年度は総資本純利益率は下落した。

d X1年度と比較してX2年度は総資本純利益率は上昇した。

〔解答群〕

　ア aとc　　**イ** aとd　　**ウ** bとc　　**エ** bとd

解 説

　本問は、与えられた資料の計算式を組み合わせることで、解を導くことができる。

　まず、資料の計算式を展開すると、次のようになる。

$$売上高純利益率 = \frac{純利益}{売上高} \times 100$$

$$自己資本比率 = \frac{自己資本}{総資本} \times 100$$

$$総資本回転率 = \frac{売上高}{総資本}$$

① 自己資本純利益率の計算

　自己資本純利益率を計算するには、自己資本と純利益の2つの要素が必要である。自己資本は自己資本比率に、純利益は売上高純利益率にあることがわかる。

$$自己資本純利益率 = \frac{純利益}{自己資本} \times 100$$

$$= \frac{純利益}{売上高} \times \frac{売上高}{総資本} \times \frac{総資本}{自己資本}$$

$$= 売上高純利益率 \times 総資本回転率 \div 自己資本比率$$

　よって、

　X1年度の自己資本純利益率 ＝ 5 ％ × 2.0 ÷ 50％ ＝ 0.2（20％）

　X2年度の自己資本純利益率 ＝ 4 ％ × 2.2 ÷ 40％ ＝ 0.22（22％）

であり、自己資本純利益率は上昇している。

② 総資本純利益率の計算

　総資本純利益率を計算するには、総資本と純利益の2つの要素が必要である。総資本は自己資本比率あるいは総資本回転率に、純利益は売上高純利益率にあることがわかる。

$$総資本純利益率 = \frac{純利益}{総資本} \times 100$$

$$= \frac{純利益}{売上高} \times \frac{売上高}{総資本}$$

$$= 売上高純利益率 \times 総資本回転率$$

よって、

X1年度の総資本純利益率 = 5％×2.0＝10％

X2年度の総資本純利益率 = 4％×2.2＝8.8％

であり、総資本純利益率は下落している。

したがって、**b**と**c**の組み合わせが正しい。

 正解 ウ

講師より

　本問は、解答要求である自己資本純利益率や総資本純利益率について、計算式の分子や分母から直接的に計算するのではなく、問題文に与えられた売上高純利益率、自己資本比率、総資本回転率を用いて間接的に計算するパズル的な問題です。まず各指標の分子と分母を書き出し、解答要求に対応する必要があるため、**式を正確に押さえておく**ことが大前提となります。また、試行錯誤しているうちに時間を多く使いがちになります。本番では、5分以上かけない、あとまわしにするなどの工夫をして試験時間に対応しましょう。

MEMO

重要度 **B** 経営分析⑥ H25-5

次に示す財務諸表に基づいて、以下の設問に答えよ（単位：千円）。

〈貸借対照表〉

	X1年度末	X2年度末		X1年度末	X2年度末
流動資産	35,000	29,000	流動負債	16,000	15,000
固定資産	95,000	91,000	固定負債	28,000	20,000
			純資産	86,000	85,000
資産合計	130,000	120,000	負債・純資産合計	130,000	120,000

〈損益計算書〉

	X1年度	X2年度
売上高	180,000	170,000
営業費用	150,000	152,000
営業利益	30,000	18,000
支払利息	1,000	800
経常利益	29,000	17,200
固定資産売却損	1,000	200
税引前当期純利益	28,000	17,000
法人税等	10,000	4,000
当期純利益	18,000	13,000

設問1

　収益性の動向に関する説明として最も適切なものはどれか。なお、比率の計算における総資本は年度末の金額を利用する。

ア 総資本営業利益率：悪化　売上高営業利益率：悪化　総資本回転率：改善

イ 総資本営業利益率：悪化　売上高営業利益率：改善　総資本回転率：改善

ウ 総資本営業利益率：改善　売上高営業利益率：悪化　総資本回転率：改善

エ 総資本営業利益率：改善　売上高営業利益率：改善　総資本回転率：悪化

設問2

安全性の動向に関する説明として最も適切なものはどれか。

ア 流動比率：悪化　　固定長期適合率：悪化　　負債比率：改善

イ 流動比率：悪化　　固定長期適合率：改善　　負債比率：改善

ウ 流動比率：改善　　固定長期適合率：悪化　　負債比率：改善

エ 流動比率：改善　　固定長期適合率：改善　　負債比率：悪化

解 説

設問1

経営指標の計算式は次のとおりである。

経営指標	計算式
総資本営業利益率	営業利益÷総資本×100（％）
売上高営業利益率	営業利益÷売上高×100（％）
総資本回転率	売上高÷総資本（回）

経営指標を計算すると次のとおりである。

	X1年度	X2年度	判断
総資本営業利益率	30,000÷130,000×100≒ 23.08％	18,000÷120,000×100＝15％	**悪化**
売上高営業利益率	30,000÷180,000×100≒ 16.67％	18,000÷170,000×100≒ 10.59％	**悪化**
総資本回転率	180,000÷130,000≒1.38回	170,000÷120,000≒1.42回	**改善**

（小数点第3位四捨五入）

　総資本営業利益率、売上高営業利益率、総資本回転率はいずれも**高い**ほうがよい。

 ア

設問2

経営指標の計算式は次のとおりである。

経営指標	計算式
流動比率	流動資産÷流動負債×100（％）
固定長期適合率	固定資産÷（固定負債＋自己資本）×100（％）
負債比率	負債÷自己資本×100（％）

経営指標を計算すると次のとおりである。

	X1年度	X2年度	判断
流動比率	$35,000 \div 16,000 \times 100 =$ 218.75%	$29,000 \div 15,000 \times 100 \fallingdotseq$ 193.33%	悪化
固定長期適合率	$95,000 \div (28,000 + 86,000)$ $\times 100 \fallingdotseq 83.33\%$	$91,000 \div (20,000 + 85,000)$ $\times 100 \fallingdotseq 86.67\%$	悪化
負債比率	$((16,000 + 28,000) \div$ $86,000) \times 100 \fallingdotseq 51.16\%$	$((15,000 + 20,000) \div 85,000)$ $\times 100 \fallingdotseq 41.18\%$	改善

（小数点第3位四捨五入）

流動比率は**高い**ほうがよく、固定長期適合率、負債比率は**低い**ほうがよい。

 ア

※　解説の便宜上、小数点第2位まで計算しているが、小数点まで精緻に計算しなくても大小関係が判断できればよい。

👤 講師より

　経営分析の優劣の判断については、特に**低いほうがよい指標に注意**しておきましょう（本問では、固定長期適合率、負債比率が低いほうがよい指標です）。

　また、解答要求は優劣の判断であるため、必ずしも計算しなくてよい指標もあります（たとえば、総資本営業利益率は、分子の減少が大きい割に、分母がそれほど減少していないため、悪化していると判断します）。

　本試験では、財務会計は時間が足りなくなる科目の筆頭であるため、このような時間節約は有効です。

重要度 **B** CVP分析① R2-21

G社の前期と当期の損益計算書は以下のように要約される。下記の設問に答えよ。

損益計算書　　　　　　　（単位：万円）

	前期		当期	
売 上 高		2,500		2,400
変 動 費	1,250		960	
固 定 費	1,000	2,250	1,200	2,160
営業利益		250		240

設問1

当期の損益分岐点売上高として、最も適切なものはどれか。

ア 1,600万円

イ 1,800万円

ウ 2,000万円

エ 3,000万円

設問2

G社の収益性に関する記述として、最も適切なものはどれか。

ア 損益分岐点比率が前期よりも悪化したのは、売上の減少による。

イ 損益分岐点比率が前期よりも悪化したのは、変動費率の上昇による。

ウ 損益分岐点比率が前期よりも改善されたのは、固定費の増加による。

エ 損益分岐点比率が前期よりも改善されたのは、変動費率の上昇による。

解 説

　損益分岐点分析に関する問題である。前期と当期のデータが与えられており、これらを用いて損益分岐点売上高と損益分岐点比率を計算することになる。

設問1

　当期の損益分岐点売上高が問われている。損益分岐点売上高をSとする。

変動費率：960（変動費）÷2,400（売上高）＝0.4（40％）

固定費：1,200

損益分岐点売上高：S－0.4S－1,200＝0　　∴S＝**2,000万円**

 正 解　ウ

設問2

【解答手順のイメージ】

　解答要求：**損益分岐点比率**の比較

↓

前期損益分岐点比率：**損益分岐点売上高**÷実際売上高（2,500）

当期損益分岐点比率：**損益分岐点売上高**÷実際売上高（2,400）

↓

CVP分析によりそれぞれ計算

① 前期の損益分岐点比率

　損益分岐点売上高をSとする。

変動費率：1,250（変動費）÷2,500（売上高）＝0.5（50％）

固定費：1,000

損益分岐点売上高：S－0.5S－1,000＝0　∴S＝2,000万円

となる。

　これを「損益分岐点比率＝損益分岐点売上高÷売上高×100」に代入すると、

損益分岐点比率：2,000÷2,500×100＝80（％）　となる。

② 当期の損益分岐点比率

 より、損益分岐点売上高は2,000万円であるから、

損益分岐点比率：2,000÷2,400×100＝83.33…≒83（％）　となる。

損益分岐点比率が高いか低いかにより、企業の収益獲得能力面での安全度が判断できる。損益分岐点は低ければ低いほど、企業はより少ない売上高で利益を得ることができる。つまり、損益分岐点比率が低いということは、その企業が売上高の減少というリスクに強いということである。

したがって、損益分岐点比率は前期80％から当期83％に上昇しているため、損益分岐点比率は**悪化**している。また、悪化した原因として、**売上の減少**があげられる。

なお、変動費率は50％から40％に低下している。したがって、**イ**の選択肢は外れる。

正解　ア

　講師より

CVP分析は、すべての問題が、「**売上高－変動費－固定費＝営業利益**」という損益構造をベースに出題されます。これを意識しながらデータの整理をするようにしましょう。

また　設問2　は、①前期と当期それぞれの損益分岐点売上高を計算、②それぞれの損益分岐点比率の計算、③比率を比較して解答することとなります。計算量が多く、ミスが生じやすいリスクの高い問題です。

損益分岐点比率は頻出の指標であるため、本問を通してしっかり練習しましょう。

MEMO

重要度 **A** **CVP分析②** H30-11

当社の当期の損益計算書は、以下のとおりであった。下記の設問に答えよ。

損益計算書

売上高	240,000	千円（販売価格200円×販売数量1,200千個）
変動費	96,000	（1個当たり変動費80円×販売数量1,200千個）
貢献利益	144,000	千円
固定費	104,000	
営業利益	40,000	千円

設問1

当社では、次期の目標営業利益を55,000千円に設定した。他の条件を一定とすると、目標営業利益を達成するために必要な売上高として、最も適切なものはどれか。

ア 255,000千円

イ 265,000千円

ウ 280,000千円

エ 330,000千円

設問2

　次期の利益計画において、固定費を2,000千円削減するとともに、販売価格を190円に引き下げる案が検討されている。また、この案が実施されると、販売数量は1,400千個に増加することが予想される。次期の予想営業利益として、最も適切なものはどれか。なお、他の条件は一定であるものとする。

ア　52,000千円

イ　57,600千円

ウ　68,000千円

エ　72,800千円

解 説

設問1

●変動費率（a）

　　当期の損益計算書の変動費と売上高より、変動費率を計算する（**次期においても条件が一定のため、当期と次期の変動費率は同じである**）。

　　変動費率（a）：　$a = 96{,}000 \div 240{,}000$

　　　　　　　　　　　　　$= 0.4$（40%）

●目標営業利益を達成するために必要な売上高

　　「S＝aS＋FC＋P」を用いて計算する。

　　目標売上高（S）：　　$S = 0.4S + 104{,}000 + 55{,}000$

　　　　　　　　　　　　　$0.6S = 159{,}000$

　　　　　　　　　　　　　　$S = \mathbf{265{,}000}$（千円）

 　イ

設問2

●売上高

　　変化後の販売価格および販売数量より、予想売上高を計算する。

　　売上高（S）：$190 \times 1{,}400 = 266{,}000$

●変動費

　　変化後の販売数量より、予想変動費を計算する。

　　変動費（VC）：$80 \times 1{,}400 = 112{,}000$

●固定費

　　固定費の削減より、予想固定費を計算する。

　　固定費（FC）：$104{,}000 - 2{,}000 = 102{,}000$

●予想営業利益

　　「S－VC－FC＝P」より、予想営業利益を計算する。

　　予想営業利益（P）：$P = 266{,}000 - 112{,}000 - 102{,}000$

　　　　　　　　　　　　　$= \mathbf{52{,}000}$（千円）

 　ア

講師より

　CVP分析は、「**売上高－変動費－固定費＝営業利益**」という損益構造をベースに解答するようにしましょう。

　なお、 設問2 は、1単位当たりの変動費が一定であるのに対して、販売価格が変化するため、 設問1 で計算した変動費率は使えないことに注意しましょう（変動費率は設問1で求めた40%から変化する）。

重要度 **A** CVP分析③    R4-12

当工場では、単一製品Xを製造・販売している。以下の資料に基づいて、下記の設問に答えよ。

【資料】

当期における実績値は次のとおりであった。

製造原価	販売費及び一般管理費
直接材料費 ……… 240円／個	変動販売費 ………………… 100円／個
直接労務費 ……… 160円／個	固定販売費・一般管理費 … 50,000円
製造間接費	
変動費 ……… 100円／個	
固定費 ……… 200,000円	

また、当期の生産量は1,000個、販売量は800個（単価1,000円）であり、仕掛品および期首製品は存在しない。

設問1

直接原価計算を採用した場合の営業利益として、最も適切なものはどれか。

ア △30,000円

イ 　　　0円

ウ 　70,000円

エ 110,000円

設問2

損益分岐点売上高として、最も適切なものはどれか。

ア 400,000円

イ 500,000円

ウ 625,000円

エ 800,000円

解 説

CVP分析に関する問題である。

設問1

直接原価計算を採用した場合の営業利益が問われている。

「売上高－変動費－固定費＝営業利益」の損益構造をベースにデータを整理すると、次のとおりである。

売上高：1,000円/個×800個＝800,000円

変動費：(240＋160＋100＋100)円/個×800個＝480,000円

固定費：200,000円＋50,000円＝250,000円

営業利益：800,000円－480,000円－250,000円＝**70,000円**

 ウ

設問2

損益分岐点売上高が問われている。

設問1 の数値を用いて、「S－aS－FC＝P」より損益分岐点売上高を計算すると、次のとおりである。

a：480,000÷800,000＝0.6

S：S－0.6S－250,000円＝0　　∴S＝**625,000円**

 ウ

講師より

設問1 において直接原価計算を採用した場合の営業利益が出題されていますが、ポイントは、「売上高－変動費－固定費＝営業利益」で利益計算ができるかどうかにつきます。CVP分析の問題は、利益計算であっても、損益分岐点売上高の計算であっても、この損益構造を念頭に置いて解答するようにしましょう。

重要度 Ⓐ CVP分析④

H25-8

　A社の当期の売上高は20,000千円、費用は以下のとおりであった。なお、一般管理費はすべて固定費である。安全余裕率として最も適切なものを下記の解答群から選べ。

変動製造費用	5,000千円
固定製造費用	9,000千円
変動販売費	3,000千円
固定販売費	800千円
一般管理費	1,000千円

〔解答群〕

　ア　10.0％

　イ　10.9％

　ウ　25.0％

　エ　28.0％

解説

【解答手順のイメージ】

解答要求：**安全余裕率**の計算
　　　　　　　↓

安全余裕率＝（実際売上高(20,000) －**損益分岐点売上高**）÷実際売上高(20,000)

　　　　　　　　　　↓

CVP分析により計算

売上高　20,000千円

変動費　　8,000千円（変動製造費用5,000＋変動販売費3,000）

固定費　10,800千円（固定製造費用9,000＋固定販売費800＋一般管理費1,000）

変動費率 α ＝変動費8,000÷売上高20,000＝0.4（40％）

より、損益分岐点売上高Sは、

$S - 0.4S - 10,800 = 0$

$0.6S = 10,800$

∴　$S = 10,800 \div 0.6 = 10,800 \times 10 \div 6$

　　　$= 18,000$

したがって、

安全余裕率＝$(20,000 - 18,000) \div 20,000 \times 100$

　　　　　＝**10.0**（％）

 正解　ア

講師より

　安全余裕率の計算問題です。損益分岐点売上高→安全余裕率の計算手順は、本試験の典型問題です。このような問題ほど、ミスして失点しないよう、くり返し練習しましょう。本試験で高得点をとれるのは、難しい問題を解ける人ではなく、本問のような平易な問題を落とさない人です。

重要度 **B** 利益差異分析 R3-8

　ある製品の販売予算が以下のとおり編成されており、第3四半期（Q3）の実際販売量が1,600個、実際販売価格が98,000円であった。予算実績差異を販売数量差異と販売価格差異に分割する場合、最も適切な組み合わせを下記の解答群から選べ。

	Q1	Q2	Q3	Q4	合計
販売量（個）	1,200	1,400	1,500	1,400	5,500
売上高（万円）	12,000	14,000	15,000	14,000	55,000

〔解答群〕

ア 販売数量差異1,000万円（不利差異）と販売価格差異300万円（不利差異）

イ 販売数量差異1,000万円（不利差異）と販売価格差異320万円（不利差異）

ウ 販売数量差異1,000万円（有利差異）と販売価格差異300万円（不利差異）

エ 販売数量差異1,000万円（有利差異）と販売価格差異320万円（不利差異）

　売上高差異分析に関する問題である。売上高差異は、数量差異と価格差異に分けてとらえる。当問題では、販売量および販売価格に係るデータが実際と予算でそれぞれ与えられているため、**計算式あるいは図を用いて計算すればよい**。

　なお、売上高差異は、実際値から計画値を差し引いているため、プラスの場合には有利差異、マイナスの場合には不利差異となる。

　数量差異については「(実際販売数量 − 計画販売数量)× 計画販売価格」より、
数量差異：(1,600個 − 1,500個)× 10万円 = 1,000万円（有利差異）　となる。
　なお、計画販売価格は、販売予算売上高15,000万円 ÷ 1,500個 = 10万円で計算する。
　価格差異については「(実際販売価格 − 計画販売価格)× 実際販売数量」より、
価格差異：(9.8万円 − 10万円)× 1,600個 = △320万円（不利差異）　となる。
　また、売上高差異分析の計算は、次の図を用いて計算できる。

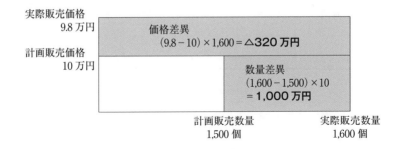

正解　エ

講師より

　本問は売上高差異分析の典型的な問題です。価格差異と数量差異は、それぞれ**単価×数量**で計算されます。いかなる単価にいかなる数量を掛けて計算するかを意識しながら解答、復習するようにしましょう。
　また、有利差異か不利差異かも必ず問われるので、ミスしないよう練習しましょう。
　なお、本問は問題60と計算構造がかなり近いため、セットで学習しましょう。

重要度 Ⓐ 意思決定会計①　　　　　　　R2-23

　当期首に1,500万円をある設備（耐用年数３年、残存価額ゼロ、定額法）に投資すると、今後３年間にわたって、各期末に900万円の税引前キャッシュフローが得られる投資案がある。税率を30％とすると、この投資によって各期末の税引後キャッシュフローはいくらになるか。最も適切なものを選べ。

ア　180万円

イ　280万円

ウ　630万円

エ　780万円

　税引後キャッシュフローに関する問題である。設備投資をすれば、売上増加あるいは原価削減などの効果が得られる。それによって生ずるCIFおよびCOFを計上する。さらに、減価償却費の増加による法人税節税額（タックスシールド）を計上する。タックスシールドとは、設備投資に伴う減価償却費の増加が、会計上の利益を減少させ、それに対応する分だけの法人税の節約をもたらす効果のことである。よって、「税率×減価償却費」をCFの計算上加算するという処理を行う。

　試験対策上は、**下記の式を覚えて解答要求に対応することになる。**

> 【経済的効果（税引後CF）の算式)】
> 経済的効果＝（1－税率)×(CIF－COF)＋税率×減価償却費

上記計算式より、税引後CFを計算する。

CIF－COF(税引前CF)：900

減価償却費：(1,500－0)÷3＝500

税引後CF：900×(1－0.3)＋500×0.3＝**780万円**

 正解　エ

講師より

　「税引後キャッシュフロー」は、教科書では「正味キャッシュフロー」という表現でも記載しています。どちらでも対応できるようにしておきましょう。

　本問でいうと、問題文の表現より、解答要求が投資で生じるリターンのキャッシュフローであることから、正味キャッシュフローと判断します。

　「正味キャッシュフロー」の計算は本問のように単体で問われたり、正味現在価値算定の要素として問われたり頻出論点であるため、しっかりと式を押さえておきましょう。

重要度 **A** 意思決定会計②

R3-18

当社はある機械の導入の可否を検討している。この機械の導入により、年間の税引前キャッシュフローが2,000万円増加する。また、この機械の年間減価償却費は900万円である。

実効税率を30％とするとき、年間の税引後キャッシュフローはいくらになるか。最も適切なものを選べ。

ア 870万円

イ 1,100万円

ウ 1,670万円

エ 2,030万円

　設備投資の経済性計算における税引後キャッシュフローの計算が問われている。

　　税引後キャッシュフロー＝税引後のキャッシュフロー増加額＋減価償却費×税率

$$= 2{,}000 \times (1 - 0.3) + 900 \times 0.3 = \textbf{1{,}670（万円）}$$

　また、営業利益の増加額を把握しても計算することができる。その場合、減価償却費をそのまま足し戻す点に注意する。

　　税引後キャッシュフロー＝税引後営業利益の増加額＋減価償却費

$$= (2{,}000 - 900) \times (1 - 0.3) + 900 = \textbf{1{,}670（万円）}$$

 正解　ウ

 講師より

　「税引後キャッシュフロー（正味キャッシュフロー）」の問題です。基本的な問題ですが、本試験の緊張感と、時間制約のなかではミスする可能性もあります。したがって、このような問題こそ練習を繰り返すことにより合格点を目指しましょう。

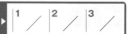

重要度 **B** 意思決定会計③ H28-17

現在、3つのプロジェクト（プロジェクト①〜プロジェクト③）の採否について検討している。各プロジェクトの初期投資額、第1期末から第3期末に生じるキャッシュフロー、および内部収益率（IRR）は以下の表のとおり予測されている。いずれのプロジェクトも、経済命数は3年である。初期投資は第1期首に行われる。なお、法人税は存在しないと仮定する。

	キャッシュフロー				IRR
	初期投資	第1期	第2期	第3期	
プロジェクト①	−500	120	200	280	8.5%
プロジェクト②	−500	200	200	200	（　）%
プロジェクト③	−500	300	200	60	7.6%

（金額の単位は百万円）

内部収益率法を用いた場合のプロジェクトの順位づけとして、最も適切なものを下記の解答群から選べ。たとえば、プロジェクト①＞プロジェクト②は、プロジェクト①の優先順位が高いことを示す。なお、内部収益率の計算にあたっては、以下の表を用いること。

	6％	7％	8％	9％	10％	11％
複利現価係数	0.840	0.816	0.794	0.772	0.751	0.731
年金現価係数	2.673	2.624	2.577	2.531	2.487	2.444

経済命数が3年の場合の複利現価係数および年金現価係数

〔解答群〕

ア プロジェクト①＞プロジェクト②＞プロジェクト③

イ プロジェクト①＞プロジェクト③＞プロジェクト②

ウ プロジェクト②＞プロジェクト①＞プロジェクト③

エ プロジェクト②＞プロジェクト③＞プロジェクト①

オ プロジェクト③＞プロジェクト①＞プロジェクト②

解 説

まず、空欄となっているプロジェクト②の**内部収益率を計算**し、その結果に基づき、**プロジェクトの順位づけを行う**ことになる。

① 内部収益率の計算

内部収益率とは、投資の正味現在価値がゼロとなる割引率のことである。したがって、各年度のキャッシュフローが均等である（Rとする）ならば、

0 ＝R×年金現価係数－設備投資額　の計算式が導かれる。

これを変形すると、

$$年金現価係数 ＝ \frac{設備投資額}{R}$$

となる。

ここで、**年金現価係数の数値から、割引率（内部収益率）の水準を判断する**。

プロジェクト②の年金現価係数＝初期投資500÷200＝2.5

年金現価係数表より、年金現価係数が2.5となるのは、割引率が9％と10％の間である。

以上より、プロジェクト②の内部収益率は、9～10％となる。

② プロジェクトの順位づけ

内部収益率法のみでプロジェクトの順位づけを行うため、**単純に内部収益率の高い順に、プロジェクトの優先順位が高くなる。**

したがって、プロジェクト②9～10％＞プロジェクト①8.5％＞プロジェクト③7.6％　となる。

 正 解　ウ

講師より

　内部収益率は、正確に計算することが難しい比率です。本問のように、ざっくりとした数値の当たりをつけ、選択肢の判断ができればOKです。
　また、本問では問われていませんが、内部収益率法における投資の判断基準もあわせて復習しておきましょう。

重要度 **B** 意思決定会計④

H27-16

次の文章を読んで、下記の設問に答えよ。

D社は、4つの投資案（①～④）の採否について検討している。同社では、投資案の採否を正味現在価値法（NPV法）に基づいて判断している。いずれの投資案も、経済命数は3年である。

4つの投資案の初期投資額および第1期末から第3期末に生じるキャッシュフローは、以下の表のとおり予測されている。初期投資は第1期首に行われる。なお、法人税は存在せず、割引率は8％とする。

（単位：百万円）

	キャッシュフロー				NPV
	初期投資	第1期	第2期	第3期	
投資案①	−120	50	60	70	33
投資案②	−120	70	60	50	A
投資案③	−160	80	80	80	B
投資案④	−120	40	40	40	C

設問1

投資案②のNPV（空欄A）および投資案③のNPV（空欄B）にあてはまる金額の組み合わせとして、最も適切なものを下記の解答群から選べ。なお、NPVの計算にあたっては、以下の表を用いること。

割引率8％の場合の複利現価係数および年金現価係数

	1年	2年	3年
複利現価係数	0.93	0.86	0.79
年金現価係数	0.93	1.78	2.58

〔解答群〕

ア A：22百万円 　　B：30百万円

イ A：33百万円 　　B：30百万円

ウ A：33百万円 　　B：46百万円

エ A：36百万円 　　B：30百万円

オ A：36百万円 　　B：46百万円

設問2

4つの投資案は相互に独立しており、D社は複数の投資案を採択することが可能である。しかし、資金の制約があり、初期投資額の上限は380百万円である。このとき、採択すべき投資案の組み合わせとして最も適切なものはどれか。

なお、D社は他の投資案を有しておらず、380百万円のうち初期投資に使用されなかった残額から追加のキャッシュフローは生じない。

ア 投資案①、投資案②、および投資案③

イ 投資案①、投資案②、および投資案④

ウ 投資案②および投資案③

エ 投資案②および投資案④

オ 投資案③および投資案④

設問1

　2つの投資案のNPVの金額を計算する問題である。キャッシュフローは与えられているため、**正確に割引計算を行うことがポイントになる**。複利現価係数と年金現価係数が与えられているため、両者の使い分けに注意する。

・**投資案②**

　各期末に生じるキャッシュフローの金額が同額でないため、複利現価係数を利用する。

$$NPV = 70 \times 0.93 + 60 \times 0.86 + 50 \times 0.79 - 120$$
$$= 156.2 - 120 = 36.2 \fallingdotseq \mathbf{36}（百万円）$$

・**投資案③**

　各期末に生じるキャッシュフローの金額が同額のため、年金現価係数を利用する。

$$NPV = 80 \times 2.58（3年、年金現価係数） - 160 = 206.4 - 160$$
$$= 46.4 \fallingdotseq \mathbf{46}（百万円）$$

正　解　　オ

設問2

　独立投資による設備投資の採択に関する問題である。ただし、資金の制約がある点に注意を要する。

【解答手順のイメージ】

解答要求：投資制約380百万円以内の**投資額**の決定

↓

各投資案のNPVの計算

【各投資案のNPVの算定】

　設問1　にて投資案②と③のNPVが判明しているため（投資案①は問題で与えられている）、残りの投資案④のNPVを計算する必要がある。

・投資案④

　　各期末に生じるキャッシュフローの金額が同額のため、年金現価係数を利用する。

　　NPV＝40×2.58（3年、年金現価係数）－120

　　　　　＝103.2－120＝△16.8（百万円）

投資案④のNPVはマイナスのため、棄却される。

　　したがって、投資案①から③のNPVの金額が高い順に、資金の範囲内で採択していくことになる。

【優先順位の決定】

投資案①から③のNPVは、それぞれ投資案①33百万円、投資案②36百万円、投資案③46百万円であるため、割り当てる優先順位は、投資案③→投資案②→投資案①となる。

【投資案の選択】

・投資案③のみ：初期投資額160百万円

・投資案③＋投資案②の初期投資額160＋120＝280百万円

・投資案③＋投資案②＋投資案①の初期投資額160＋120＋120＝400百万円

　　→投資制約380百万円をオーバー

　　したがって、採択されるのは**投資案②および投資案③**となる。

  ウ

 講師より

　1次試験は、キャッシュフローは問題文に与えて、あとは**割引計算**をするという問題が多いため、割引計算に慣れるようにしましょう。

　設問2 は投資意思決定の応用問題です。解答手順は、①優先順位の決定、②資金制約内で投資の選択となります。

　なお、解説のとおり、投資案④はNPVがマイナスであるため、その時点で投資案④が含まれる**イ、エ、オ**は不正解となります。正答率を高めていくには、このような視点も有効となります。

重要度 **B** 配当割引モデル①

H29-18

　当社の前期末の1株当たり配当金は120円であり、今後毎年2%の定率成長が期待されている。資本コストを6%とすると、この株式の理論価格として、最も適切なものはどれか。

ア 2,400円

イ 3,000円

ウ 3,060円

エ 3,180円

解説

本問は、定率成長モデルの計算が問われている。次の**計算式に代入して求める**。

$$理論株価 = \frac{1\,年後の配当金}{期待収益率 - 成長率}$$

定率成長モデルの場合、分子が1年後の配当金であることから、時間軸に気をつけることがポイントである。与えられたデータは、前期末の配当金であることに注意する。したがって、**前期末の配当金から、成長率を用いて、当期末の配当金を計算する必要がある**。

当期末の配当金 = 前期末の配当金120 × 1.02 = 122.4円

$$理論株価 = \frac{122.4\,円}{0.06 - 0.02} = \mathbf{3{,}060}\,(円)$$

 正解　ウ

 講師より

　配当割引モデルは、結論の式をしっかり押さえたうえで解答するようにしましょう。
　また、本問は、問題文に与えられた配当金が前期末の配当金であるため、計算に用いる**分子の配当金を1年後の配当金に修正する**応用問題です。分子を120のまま計算すると、**イ**（3,000円）となり、不正解となってしまいます。配当割引モデルの問題を解答するときは、配当金が**いつの配当金か**を必ずチェックするようにしましょう。

　1年後の配当は105千円、その後毎年3％の成長が永続することを見込んでいる。割引率（株主資本コスト）が年5％である場合、配当割引モデルに基づく企業価値の推定値として最も適切なものはどれか。

　ア　1,575千円

　イ　2,100千円

　ウ　3,500千円

　エ　5,250千円

解説

　配当割引モデルを利用した企業価値計算の問題である。問題文に、配当は毎年３％の成長が永続すると指示があるため、**定率成長モデルの式を用いて計算する**。

　　株式価値＝１年後の配当金÷（株主資本コスト－配当金の成長率）
　　　　　　＝105千円÷（５％－３％）＝**5,250**（千円）となる。

　また、問題文に負債価値に関するデータがないため、株式価値が企業価値の推定値と考えられる。

 正解　エ

 講師より

　配当割引モデルの基本問題です。基本の式を押さえていれば解答に至りますが、このような問題ほどミスして失点しないよう、くり返し練習しましょう。

重要度 **B** 株価指標① R元-19

自己資本利益率（ROE）は、次のように分解される。

$$ROE = \frac{1株当たり利益}{株\quad価} \times \frac{株\quad価}{1株当たり自己資本簿価}$$

この式に関する記述として、最も適切なものはどれか。

ア $\dfrac{1株当たり利益}{株\quad価}$ は、加重平均資本コスト（WACC）と解釈される。

イ $\dfrac{株\quad価}{1株当たり自己資本簿価}$ が小さくなっても、ROEが低くなるとは限らない。

ウ $\dfrac{株\quad価}{1株当たり自己資本簿価}$ は、株価収益率（PER）である。

エ ROEが $\dfrac{1株当たり利益}{株\quad価}$ を上回る場合には、株価は1株当たり自己資本簿価より小さくなる。

解説

ア ✕

$\dfrac{1\text{株当たり利益}}{\text{株価}}$は、**株価収益率（PER）の逆数で、株式益回りのこと**である。なお、加重平均資本コスト（WACC）とは、複数の資金調達源泉がある場合、調達源泉別のコストの総額が資金調達の総額に占める割合のことである。

イ 〇

$\dfrac{\text{株価}}{1\text{株当たり自己資本簿価}}$が小さくなっても、$\dfrac{1\text{株当たり利益}}{\text{株価}}$が大きくなればROEが高くなる場合がある。

ウ ✕

$\dfrac{\text{株価}}{1\text{株当たり自己資本簿価}}$は、株価自己資本（株価純資産）倍率（PBR）である。

エ ✕

ROEが$\dfrac{1\text{株当たり利益}}{\text{株価}}$を上回る場合には、$\dfrac{\text{株価}}{1\text{株当たり自己資本簿価}}$は1よりも大きくなるため、**株価は1株当たり自己資本簿価より大きくなる。**

 イ

講師より

　株価指標の式を押さえましょう。特に、PERとPBRが重要です（株価指標ではないですが、WACCとROEも重要です）。

重要度 **B** 株価指標②　　　　　　　　　　　　　　R5-14

　　Z社の期首自己資本は3,000万円である。また、ROEは5%、配当性向は40%、発行済株式数は20万株である。Z社の当期の1株当たり配当として、最も適切なものはどれか。ただし、本問において、ROEは当期純利益を期首自己資本で除した値とする。

ア　2円

イ　3円

ウ　4円

エ　5円

解 説

　株価指標（1株当たり配当）に関する問題である。問題文で与えられている ROE、配当性向から逆算的に各項目を計算する必要がある。

●ROE＝当期純利益÷期首自己資本3,000×100＝5％（0.05）

　より、当期純利益＝期首自己資本3,000×0.05＝150（万円）

●配当性向＝配当金÷当期純利益150＝40％（0.4）

　より、配当金＝当期純利益150×0.4＝60（万円）

●1株当たり配当金＝配当金60万円÷発行済株式数20万株＝3（円）

 正 解　イ

 講師より

　株価指標の問題は、式を覚えていることを前提に、応用（本問は逆算）する問題が問われています。本問を通して出題形式に慣れましょう。

重要度 **B** 株価指標③

次のデータに基づき、以下の設問に答えよ。

PBR	ROE	自己資本比率	配当性向	配当利回り
1.2	10%	60%	36%	3 %

設問1

自己資本配当率（DOE）として、最も適切なものはどれか。

ア 3.6%

イ 7.2%

ウ 21.6%

エ 43.2%

設問2

PERとして、最も適切なものはどれか。

ア 2倍

イ 3.3倍

ウ 12倍

エ 40倍

与えられたデータの計算式は次のとおりである。

PBR（株価純資産倍率）＝株価÷１株当たり自己資本の額
　　　　　　　　　　　＝株式時価総額÷自己資本

ROE＝当期純利益÷自己資本（×100）

自己資本比率＝自己資本÷総資本（×100）

配当性向＝配当金総額÷当期純利益（×100）

配当利回り＝１株当たり配当金÷株価（×100）
　　　　　＝配当金総額÷株式時価総額（×100）

設問1

　自己資本配当率＝配当金総額÷自己資本

を求めるため、与えられたデータの中から、「配当金」「自己資本」というキーワードに着目してデータを組み合わせる。

　よって、

　配当性向（配当金総額÷当期純利益）×ROE（当期純利益÷自己資本）

　＝自己資本配当率

となる。

　したがって、

　自己資本配当率＝配当性向0.36×ROE0.1

　　　　　　　　＝0.036　⇒　**3.6**（％）

となる。

 正解　ア

設問2

　PER（株価収益率）＝株価÷１株当たり当期純利益の額

　　　　　　　　　　＝株式時価総額÷当期純利益

を求めるため、与えられたデータの中から、「株式時価総額」「当期純利益」というキーワードに着目してデータを組み合わせる。

　よって、

PBR（株式時価総額÷自己資本）÷ROE（当期純利益÷自己資本）

$\quad$＝株式時価総額÷当期純利益

$\quad$＝PER

となる。

$\quad$したがって、

PER＝1.2÷0.1

$\qquad$＝**12**（倍）

となる。

$\quad$あるいは、

$\quad$配当性向（配当金総額÷当期純利益）÷配当利回り（配当金÷株式時価総額）

$\quad$＝PER

となる。

$\quad$したがって、

PER＝36％÷3％

$\qquad$＝**12**（倍）

となる。

 正解　ウ

![講師より]

$\quad$株価指標に関する問題です（数式のパズルの問題です）。自己資本配当率（DOE：Dividend On Equity ratio）およびPER（株価収益率）が問われています。与えられたデータを組み合わせることにより解答します。ひとつひとつの計算式の計算要素を洗い出し、組み合わせを検討することがポイントです。

$\quad$株価指標に関する問題はパズル的に問われることが多く、まず各指標の分子と分母を書き出し、解答要求に対応して数式を組み合わせる必要があるため、**式を正確に押さえておく**ことが大前提となります。また、試行錯誤しているうちに時間を多く使いがちになります。本番では、5分以上かけない、最後に解く等の工夫をして試験時間に対応しましょう。

MEMO

· ·

· ·

· ·

Ch 6

株価指標③

重要度 Ⓐ **FCFと企業価値** R5-20

　以下のデータに基づいて、A社の株主価値を割引キャッシュフローモデルに従って計算したとき、最も適切なものを下記の解答群から選べ。ただし、これらの数値は毎年3％ずつ増加する。また、A社には現在も今後も負債がなく、株主の要求収益率は6％である。

【A社の次期の予測データ】

（単位：万円）

税引後純利益	1,200
減価償却費	300
設備投資額	500
正味運転資本増加額	100

〔解答群〕
　ア　15,000万円
　イ　30,000万円
　ウ　35,000万円
　エ　70,000万円

解 説

　株主価値に関する問題である。本問では割引キャッシュフローモデルによる株主価値の計算が問われている。A社には現在も今後も負債がないため、企業価値＝株主価値が成り立つ（負債価値＝ゼロである）。

　企業が生み出すフリーキャッシュフローが一定割合で成長する場合、株主価値の計算式は次のとおりである。

$$企業価値 = \frac{フリーキャッシュフロー}{加重平均資本コスト - FCFの成長率}$$

① フリーキャッシュフロー（FCF）

　　FCF＝税引後営業利益＋減価償却費－運転資金の増加額－投資額
　　　　＝1,200＋300－100－500＝900（万円）

② 加重平均資本コスト（WACC）

　本問では負債がないため、加重平均資本コスト＝株主の要求収益率（株主資本コスト）が成り立つ。

　よって、WACC＝6％（0.06）である。

③ FCFの成長率　3％（0.03）

　以上より、

　株主価値＝900÷（0.06－0.03）＝30,000（万円）となる。

 正解　イ

講師より

　フリーキャッシュフローから企業価値を算出する問題であり、本問でフリーキャッシュフローと企業価値の両方の計算が学べる良い問題です。
　企業価値とフリーキャッシュフローの結論の式が重要になりますので、本問を通して復習しましょう。

重要度 Ⓐ **加重平均資本コスト①**

H29-24

　負債と純資産の構成が２：１の企業がある。この企業の税引前負債資本コストが３％（税率は40％）、株主資本コストが12％であるときの加重平均資本コストとして、最も適切なものはどれか。

ア 5.2%

イ 5.8%

ウ 6.0%

エ 9.0%

数値は与えられているため、計算式に代入して求めればよい。

加重平均資本コストは、**債権者の負債コストと株主の期待収益率を加重平均することによって計算する**ことができる。

負債と純資産の構成割合を図示すると、次のようになる。

負債は節税効果を考慮する必要がある。

税引後の負債コスト = 3％ × (1 − 0.4) = 1.8％ となる。

したがって、

加重平均資本コスト $= 1.8\% \times \dfrac{2}{3} + 12\% \times \dfrac{1}{3} = \textbf{5.2}$ （％） となる。

 正解　ア

 講師より

加重平均資本コストは頻出論点であるため、しっかり練習しましょう。
計算のポイントは、下記３点になります。

(1)資本コストを使っている資金の割合でウェイト付けする。
(2)ウェイト付けするときの資金額は時価を用いる。
(3)負債のコスト率は税引き後とする。

重要度 Ⓐ 加重平均資本コスト② R3-15

以下の資料に基づき計算した加重平均資本コストとして、最も適切なものを下記の解答群から選べ。なお、負債は社債のみで構成され、その時価は簿価と等しいものとする。

【資　料】

株価	1,200円
発行済株式総数	50,000株
負債簿価	4,000万円
自己資本コスト	12％
社債利回り	4％
実効税率	30％

〔解答群〕

ア 6.16％

イ 7.68％

ウ 8.32％

エ 8.80％

　加重平均資本コスト（WACC）に関する問題である。問題でデータが与えられているため、計算式に代入して求める。ポイントは下記3点となる。

(1)　負債コストと株主資本コストを使っている資金の割合でウェイト付けする。

(2)　ウェイト付けするときの資金は時価を用いる。

(3)　負債のコスト率は税引後とする。

　負債と株主資本の資本構成を図示すると、次のようになる。

総資産	負債簿価（＝時価） 　　　　4,000万円	税引前コスト　　4％
10,000万円	株主資本時価 　　　　6,000万円※ ※1,200円×50,000株	株主資本コスト　12%

　負債は節税効果を考慮する必要がある。

　税引後の負債コスト＝税引前コスト4％×（1－0.3）＝2.8%となる。

　また、負債と株主資本の割合は、負債＝4,000÷10,000＝0.4、株主資本＝6,000÷10,000＝0.6となる。

　したがって、

　加重平均資本コスト＝2.8%×0.4＋12%×0.6＝8.32%となる。

 正解　　ウ

 講師より

　本問は加重平均資本コストの典型的な問題です。上記計算のポイントに当てはめることになりますが、株主資本については、データから、（一株当たり）株価×発行済み株式数で計算することになります。

　本試験では、ストレートにデータを与えずに、データから別途計算する必要がある問題が出題されることがあります。本問を通して、このような問題に慣れるようにしましょう。

重要度 **Ⓐ** 加重平均資本コスト③

H27-14

　以下のＢ社の資料に基づいて加重平均資本コストを計算した値として、最も適切なものを下記の解答群から選べ。なお、Ｂ社は常に十分な利益を上げている。

株主資本（自己資本）	10％
他人資本コスト	5％
限界税率	40％
負債の簿価	600百万円
負債の時価	600百万円
株主資本の簿価	1,000百万円
株主資本の時価	1,400百万円

〔解答群〕
　ア　7％　　**イ**　7.375％　　**ウ**　7.6％　　**エ**　7.9％

解 説

負債と株主資本の資本構成を図示すると、次のようになる。

総資産	負債時価		税引前コスト　　5％
		600	
2,000	株主資本時価		株主資本コスト　10％
		1,400	

負債は節税効果を考慮する必要がある。

税引後の負債コスト＝税引前コスト5％×（1−0.4）＝3％となる。

また、負債と株主資本の割合は、負債＝600÷2,000＝0.3　株主資本＝1,400÷2,000＝0.7となる。したがって、

加重平均資本コスト＝3％×0.3＋10％×0.7＝**7.9**（％）となる。

 正解　エ

講師より

　本問は計算そのものは基本的ですが、加重平均する資金の割合について、**簿価ではなく時価を用いる**ことがポイントになります。本問のような基本問題は、繰り返し解くようにしましょう。

重要度 **Ⓑ** 加重平均資本コスト④ H25-14

　以下のデータからA社の加重平均資本コストを計算した場合、最も適切なものを下記の解答群から選べ。

　有利子負債額：4億円
　株式時価総額：8億円
　負債利子率：4％
　法人税率：40％
　A社のベータ（β）値：1.5
　安全利子率：3％
　市場ポートフォリオの期待収益率：8％

〔解答群〕
　ア 5.8％　　**イ** 6.7％　　**ウ** 7.8％　　**エ** 8.3％

解 説

【解答手順のイメージ】

解答要求：**加重平均資本コスト**＝負債利子率と**自己資本コスト率**を使用している資金の時価で加重平均

↓

CAPMにより計算

まず、CAPMより、自己資本コストを計算する。

① **自己資本コスト**

自己資本コスト＝安全利子率＋ベータ値×（市場ポートフォリオの期待収益率－安全利子率）

＝ 3 ％＋1.5×（ 8 ％－ 3 ％）

＝10.5%

② **加重平均資本コスト**

負債と自己資本の資本構成は、次のとおりである。

負債コスト（負債利子率）は節税効果を考慮する必要があり、

税引後の負債コスト＝税引前の負債コスト 4 ％×（ 1 －0.4）

＝2.4％

となる。

したがって、

加重平均資本コスト＝税引後の負債コスト×負債の割合＋自己資本コスト
　　　　　　　　　　×自己資本の割合

$$= 2.4\% \times \frac{4}{12} + 10.5\% \times \frac{8}{12} = 7.8\ (\%)$$

となる。

 正解　ウ

 講師より

　本問のポイントは、自己資本コストが所与ではなく、CAPMを用いて計算する点にあります。CAPMは個別証券の期待収益率を求める理論モデルですが、証券の期待収益率は、企業側から見ると自己資本コストになります。この関係性を使って自己資本コストを求めさせることはパターン問題です。本問を通して慣れるようにしましょう。

MEMO

重要度 **A** 資金調達構造

R3-14

資金調達の形態に関する記述として、最も適切なものはどれか。

ア 株式分割は直接金融に分類される。

イ 減価償却は内部金融に分類される。

ウ 増資により発行した株式を、銀行が取得した場合は間接金融となる。

エ 転換社債は、株式に転換されるまでは負債に計上されるので間接金融である。

　　資金調達の形態に関する問題である。企業の資金調達構造は、次のように
分類できる。

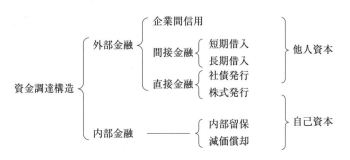

ア ✕

　　株式分割とは、1株を2株に、あるいは2株を3株にというように、既
存の株式を細分化して従来よりも多数の株式にすることをいう。株式の分
割は、会社の純資産額を変動させずに株式数を増加させるものであり、新
株がいわば無償で発行されることになる。つまり、株式分割により発行済
株式数が増加しても、企業にとって新たな資金調達とはならない。

イ 〇

　　内部金融とは、企業内部で資金調達する方法のことであり、これには利
益の内部留保と減価償却がある。なお、減価償却の手続きは、適正な期間
損益計算を行うためのものであるが、財務的には減価償却費に相当する現
金支出は存在しない。したがって、減価償却費相当額が企業内部に留保さ
れることになり、同額の資金調達効果が生じる。ただし、減価償却による
資金は、固定資産が流動資産化したものなので、新たな資金を調達したわ
けではない。よって、厳密には内部金融に減価償却を含めないこともあ
る。

ウ ✕

　　増資により発行した株式を、銀行が取得した場合は直接金融となる。

エ ✕

　　転換社債は直接金融となる。なお、転換社債が株式に転換されるという

ことは、社債が資本金（もしくは資本剰余金）に転換されたと見ることができる。この場合、社債権者の権利行使（転換社債の株式への転換）は企業にとって新たな資金調達とはならない。

 正解　イ

 講師より

　資金調達構造は定期的に出題されています。特に、資金調達手段として見落としやすい「**企業間信用**」「**利益留保**」「**減価償却費**」、および「**直接金融**」と「**間接金融**」の違いを押さえておきましょう。

MEMO

重要度 Ⓐ **MM理論①**

R元-22

A社は、5,000万円の資金を必要とする新規事業を始めようとしている。この投資により毎期300万円の営業利益を確実に得ることができ、この営業利益はフリーキャッシュフローに等しいものとする。今、5,000万円の資金を調達するために、次の2つの相互排他的資金調達案が提案されている。

MM理論が成り立つものとして、下記の設問に答えよ。

（第1案）5,000万円すべて株式発行により資金調達する。
（第2案）2,500万円は株式発行により、残額は借り入れにより資金調達する。

なお、利子率は5％である。

設問1

第2案の自己資本利益率として、最も適切なものはどれか。ただし、法人税は存在しないものとする。

ア 6％
イ 7％
ウ 8％
エ 12％

設問2

法人税が存在する場合、（第2案）の企業価値は（第1案）のそれと比べていくら差があるか、最も適切なものを選べ。ただし、法人税率は30％とする。

ア （第2案）と（第1案）の企業価値は同じ。
イ （第2案）の方が（第1案）より125万円低い。
ウ （第2案）の方が（第1案）より125万円高い。
エ （第2案）の方が（第1案）より750万円高い。

解 説

　負債利用による自己資本利益率への影響（財務レバレッジ）および企業価値
への影響（MM理論）が問われている。

設問1

　財務レバレッジ式を用いて、自己資本利益率（ROE）を計算する。なお、
ここではROAを営業利益÷総資産とする。

　　ROE＝（1－税率）×{ROA＋（ROA－負債利子率）×負債比率}

●ROA：300÷5,000＝0.06（6％）

●ROE：$0.06 + (0.06 - 0.05) \times \dfrac{2,500}{2,500} = \mathbf{0.07（7\%）}$

　正 解　イ

　なお、本問では上記した財務レバレッジ式を用いなくても、以下のとおり
計算することができる。

●支払利息

　　借入れ額に利子率を乗じることで計算する。

　　支払利息：2,500×0.05＝125（万円）

●当期純利益

　　営業利益から支払利息を差し引くことで計算する。

　　当期純利益：300－125＝175（万円）

●自己資本利益率

　　当期純利益÷自己資本より計算する。

　　自己資本利益率：175÷2,500＝**0.07（7％）**

設問2

　資本構成を変化させたときの企業価値の差が問われている。本問では、**法
人税が存在する**。したがって、負債利用による節税効果のため、財務レバレ
ッジ（負債比率）が高まるほど節税効果の現在価値分だけ企業価値は上昇す

ることになる。負債を利用した場合における企業価値の計算式は、次のとおりである。

借入れのある企業価値＝借入れのない企業価値＋税率×負債額

資本構成を変化させた場合の負債額は2,500万円であり、税率は30％である。

したがって、（第2案）の企業価値のほうが（第1案）より2,500×0.3＝750万円高くなる。

 正解　エ

 講師より

設問1

MM理論や財務レバレッジの知識がなくても計算可能です。ただ、支払利息の引き忘れに注意しましょう。

設問2

MM理論の**結論を意識して解答**しましょう。

➡ 負債がある会社の企業価値は、負債がない会社の企業価値に比べて負債×税率だけ大きい。

また、本問は、設問2から解答することも可能です。本試験では、設問2のほうが解きやすい問題もあることを知っておきましょう。

MEMO

重要度 **A** MM理論② H29-17

借入金のあるなし以外は同一条件の２つの企業がある。このとき、税金が存在する場合のモジリアーニとミラーの理論（MM理論）に関する記述として、最も適切なものはどれか。

ア 節税効果による資本コストの上昇により、借入金のある企業の企業価値の方が高くなる。

イ 節税効果による資本コストの上昇により、無借金企業の企業価値の方が高くなる。

ウ 節税効果による資本コストの低下により、借入金のある企業の企業価値の方が高くなる。

エ 節税効果による資本コストの低下により、無借金企業の企業価値の方が高くなる。

　税金が存在するケースで、負債比率が上昇した場合の、企業価値、加重平均資本コストの変化が問われている。

　法人税が存在するとき、MM理論の修正命題より、負債利用による節税効果のため、財務レバレッジ（**負債比率**）が高まるほど節税効果の現在価値分だけ企業価値は上昇する。

　つまり、負債比率が上昇すると、企業価値が上昇し、節税効果により**加重平均資本コスト（WACC）が減少**することになる。

 ウ

　MM理論の問題は、2つの**結論を常に意識しながら解答**するようにしましょう。

　・法人税が存在しない市場では、企業価値はその資本構成に依存しない。
　・法人税が存在するとき、負債利用による節税効果のため、負債比率が高まるほど
　　節税効果の現在価値分（負債×税率）だけ企業価値は上昇する。

　本問のように、結論をベースに問われる問題は頻出なので、問題演習により、慣れるようにしましょう。

重要度 **B** **MM理論③** H27-13

　MM理論に基づく最適資本構成に関する以下の記述について、下記の設問に答えよ。

　MM理論の主張によると、完全な資本市場の下では、企業の資本構成は企業価値に影響を与えない。しかし、現実の資本市場は完全な資本市場ではない。そこで、完全な資本市場の条件のうち、法人税が存在しないという仮定を緩め、法人税の存在を許容すると、負債の増加は　A　を通じて企業価値を　B　ことになる。この条件下では、負債比率が　C　の場合において企業価値が最大となる。

　一方で、負債比率が高まると、　D　も高まることから、債権者も株主も　E　リターンを求めるようになる。結果として、　A　と　D　の　F　を考慮して最適資本構成を検討する必要がある。

設問1

　記述中の空欄A～Cにあてはまる語句の組み合わせとして最も適切なものはどれか。

　ア　A：支払利息の増加による株主価値の低下　　B：高める　C：　0%
　イ　A：支払利息の増加による株主価値の低下　　B：低める　C：100%
　ウ　A：節税効果　　　　　　　　　　　　　　　B：高める　C：100%
　エ　A：節税効果　　　　　　　　　　　　　　　B：低める　C：　0%

設問2

　記述中の空欄D～Fにあてはまる語句の組み合わせとして最も適切なものはどれか。

　ア　D：債務不履行(デフォルト)リスク　E：より高い　F：トレードオフ
　イ　D：債務不履行(デフォルト)リスク　E：より低い　F：相乗効果
　ウ　D：財務レバレッジ　　　　　　　　E：より高い　F：相乗効果
　エ　D：財務レバレッジ　　　　　　　　E：より低い　F：トレードオフ

設問 1

　法人税が存在する場合、負債の増加がもたらす影響とその際の企業価値について問われている。

　法人税が存在するとき、MM理論の修正命題より、負債利用による節税効果のため、財務レバレッジ（負債比率）が高まるほど節税効果の現在価値分だけ企業価値は上昇する。

　これを考慮すると、空欄A〜Cは、次のようになる。

　負債の増加は「**A：節税効果**」を通じて企業価値を「**B：高める**」ことになる。この条件下では、負債比率が「**C：100%**」の場合において、企業価値が最大となる。

 正解　ウ

設問 2

　最適資本構成に関する問題である。

　設問 1 で見たように、法人税を考慮すると、企業は負債比率が100%の場合に企業価値が最大となるという結論に至る。しかし、現実には負債利用にはさまざまな問題点がある。

　一般に、資本構成に占める負債の比率が高くなるほど、営業利益が落ち込んだ場合には支払利息の大幅な負担による赤字転落や債務不履行、倒産可能性の増加が生じる危険性が高まる。そこで、負債の利用に歯止めをかけ、より現実的な結論を得ようとする考え方があり、そのひとつに**倒産コスト**を導入するものがある。

　ここで、**トレードオフモデルとは、負債がもたらす節税効果によるプラスの効果と倒産コストによるマイナスの効果のトレードオフ関係で最適資本構成が決定されるというモデル**である。したがって、負債増加は節税効果によるプラスの効果と倒産コストによるマイナスの効果を同時にもたらすので、ある負債比率で最適な資本構成が存在すると考えられる。このトレードオフ関係をグラフ化すると次のようになる。

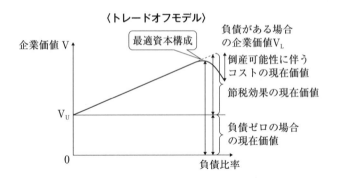

〈トレードオフモデル〉

以上の最適資本構成の論点を考慮すると、空欄D〜Fは、次のようになる。

　負債比率が高まると、「**D：債務不履行（デフォルト）リスク**」も高まることから、債権者も株主も「**E：より高い**」リターンを求めるようになる。結果として、「**A：節税効果**」と「**D：債務不履行（デフォルト）リスク**」の「**F：トレードオフ**」を考慮して最適資本構成を検討する必要がある。

　なお、**ウ、エ**における財務レバレッジとは、負債比率が自己資本利益率の変動に大きな影響を与えることである。文脈から財務レバレッジは該当しないことがわかる。

講師より

　本問はMM理論の応用問題です。
　MM理論の結論では、法人税がある場合、負債比率100％の会社の企業価値が最も大きいことになりますが、これには直感的な違和感が残ります。そこで登場したのがトレードオフモデルで、負債比率が高まると倒産コスト（簡単に言うと、倒産するときに生じるさまざまなコストのこと）が生じ、負債比率が高ければよいわけではないという理論になります。

MEMO

重要度 Ⓐ **MM理論④** H26-15

　現在A社は、全額自己資本で資金調達しており、その時価は10,000万円である。A社は毎期600万円の営業利益をあげており、この営業利益はフリー・キャッシュフローに等しい。MM理論が成り立つものとして、下記の設問に答えよ。

設問1

　A社が利子率2％の借入を行うことによって2,000万円の自己株式を買入消却し、負債対自己資本比率を20：80に変化させたとき、A社の自己資本利益率は何％になるか。最も適切なものを選べ。ただし、法人税は存在しないものとする。

　ア　7％
　イ　8％
　ウ　22％
　エ　24％

設問2

　（設問1）のようにA社が資本構成を変化させたとき、法人税が存在する場合、資本構成変化後のA社の企業価値はいくらになるか。最も適切なものを選べ。ただし、法人税率は40％とする。

　ア　9,960万円
　イ　10,000万円
　ウ　10,040万円
　エ　10,800万円

解説

設問1

　負債対自己資本比率を20：80に変化させた場合の自己資本利益率を求める。自己資本利益率を計算する場合には、自己資本と利益を計算する必要がある。資本構成は2,000万円の借入れを行って、同額の自己株式を買い入れた後消却する（自己株式から2,000万円を控除する）ため、次のようになる。

	（変化前）貸借対照表		
時価	10,000	自己資本	10,000

	（変化後）貸借対照表		
時価	10,000	負債	2,000
		自己資本	8,000

　また、利益は、営業利益600万円から支払利息40万円（＝2,000×2％）を差し引くことで560万円となる（本問は、法人税は考慮する必要がない）。

　よって、

$$自己資本利益率＝利益÷自己資本×100$$
$$＝560÷8,000×100$$
$$＝7（\%）$$

となる。

正解　ア

設問2

　資本構成を変化させたときの企業価値の金額が問われている。本問では、**法人税が存在する**。したがって、負債利用による節税効果のため、財務レバレッジ**（負債比率）が高まるほど節税効果の現在価値分だけ企業価値は上昇**することになる。

　解答要求：借入がある会社の企業価値
　　　　　　＝借入がない会社の企業価値(10,000万円)＋負債×税率

　資本構成を変化させた場合の負債額は、2,000万円であるため、

企業価値＝10,000＋2,000×40％＝**10,800**（万円）

となる。

 正解　エ

　設問1 については、「自己株式の消却」という内容から、難しく考えてしまった方もいるかもしれませんが、MM理論の問題であるため、要は「負債のある場合」と「負債のない場合」の違いを問うていると考えるようにしましょう。

　設問2 は、負債がある場合とない場合の企業価値の差をベースに解答することになります。両者の差は、MM理論より、負債×税率となります。差額を問う問題は頻出です。MM理論はとにかく**結論を意識して解答**しましょう。

MEMO

重要度 **B** 証券のリスク① H30-16

　分散投資によるポートフォリオのリスク減少の様子を示した以下の図と、図中の①と②に当てはまる用語の組み合わせのうち、最も適切なものを下記の解答群から選べ。

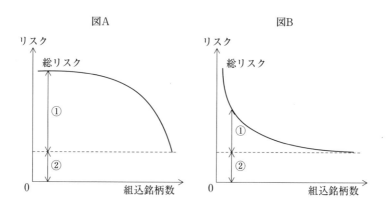

〔解答群〕

ア 図A①：システマティック・リスク
　　②：非システマティック・リスク

イ 図A①：非システマティック・リスク
　　②：システマティック・リスク

ウ 図B①：システマティック・リスク
　　②：非システマティック・リスク

エ 図B①：非システマティック・リスク
　　②：システマティック・リスク

解 説

　証券のリスク（総リスク）は、次のように非システマティック・リスク（個別リスク）とシステマティック・リスク（市場リスク）の和として表すことができる。

　　証券のリスク（総リスク）＝非システマティック・リスク＋システマティック・リスク

　証券の銘柄数を増やす（分散投資する）ことにより**非システマティック・リスク**は全体の中で埋没していく（**除去することができる**）が、**システマティック・リスクは消去できない**。したがって、銘柄数を増やし十分に分散化されたポートフォリオは、個別リスクが極小化ないし消去され、もっぱら市場リスクの影響を受けることになる。

 正解　エ

👤 講師より

　リスクは、①分散投資によって低減できる非システマティック・リスク（個別リスク）と、②低減できないシステマティック・リスク（市場リスク）に分類されることを押さえておきましょう。
　両者の性質の違いや用語はよく問われています。

重要度 **B** 証券のリスク②　　　　　　　　　H30-18

　資産A、Bの収益率の期待値（リターン）と標準偏差（リスク）および相関係数が以下の表のように与えられているとき、資産A、Bを組み込んだポートフォリオの収益率が16%になるためには、資産Aへの投資比率を何%にしたらよいか。最も適切なものを下記の解答群から選べ。

	資産A	資産B
期待値	10%	20%
標準偏差	15%	25%
相関係数	− 0.35	

〔解答群〕
　　ア　20%
　　イ　30%
　　ウ　40%
　　エ　50%

解 説

　ポートフォリオのリターンは、資産A、資産Bの**期待値の加重平均を計算することで求めることができる**。よって、資産Aへの投資比率は以下のとおり計算する（資産Aへの投資比率をxとする）。

$$10 \times x + 20 \times (1 - x) = 16$$
$$10x + 20 - 20x = 16$$
$$-10x = -4$$
$$\therefore x = 0.4 \ (\mathbf{40\%})$$

 ウ

 講師より

　本問は収益率（リターン）について問われているため、標準偏差や相関係数などは使用しません。本試験では、ダミー資料が入っていることがよくあることを意識しておきましょう。

重要度 **Ⓐ** 証券のリスク③ R5-18

　ポートフォリオ理論に関する記述として、最も適切なものはどれか。ただし、リスク資産の間の相関係数は1未満であり、投資比率は正とする。

ア　2つのリスク資産からなるポートフォリオのリスク（リターンの標準偏差）は、ポートフォリオを構成する各資産のリスクを投資比率で加重平均した値である。

イ　2つのリスク資産からなるポートフォリオのリターンは、ポートフォリオを構成する各資産のリターンを投資比率で加重平均した値である。

ウ　2つのリスク資産からポートフォリオを作成するとき、両資産のリターン間の相関係数が大きいほど、リスク低減効果は顕著となる。

エ　安全資産とリスク資産からなるポートフォリオのリスク（リターンの標準偏差）は、リスク資産への投資比率に反比例する。

ポートフォリオ理論に関する問題である。

ア ✕

2つのリスク資産からなるポートフォリオのリスク（リターンの標準偏差）は、リスク分散効果があるため、各資産のリスクを投資比率で加重平均した値ではない（ただし、相関係数がプラス1の場合に限り、各資産のリスクを投資比率で加重平均した値となる）。

イ ○

2つのリスク資産からなるポートフォリオのリターンは、各資産のリターンを投資比率で加重平均した値である（リスクのように分散効果のようなものはない）。

ウ ✕

両資産のリターン間の相関係数が小さい（マイナス1に近い）ほど、リスク低減効果は顕著となる。

エ ✕

安全資産とリスク資産からなるポートフォリオのリスク（リターンの標準偏差）は、リスク資産への投資比率に比例する（反比例ではない）。安全資産とリスク資産からなる効率的フロンティアが直線で表される（横軸のリスクに対して正比例）ことを想起するとよい。

 正 解 イ

講師より

本問は本試験で繰り返し問われている論点であるため、よく復習しましょう。
ファイナンスの問題は、①理論の結論を押さえて、②過去問でその適用に慣れることが重要です。

重要度 **A** 証券のリスク④

ポートフォリオ理論におけるリスクに関する記述として最も適切なものは
どれか。

ア 安全資産とは、リスクがなく、期待収益率がゼロである資産のことで
ある。

イ 収益率が完全な正の相関を有する2つの株式へ分散投資しても、リス
ク分散効果は得られない。

ウ 同一企業の社債と株式への投資を比較すると、リスクが高いのは社債
への投資である。

エ 分散投資によって、リスクをゼロにすることができる。

ア ✗

安全資産とは、リスクプレミアムがゼロの証券のことである。ただし、期待収益率はゼロではない。

イ 〇

2つの株式の収益率が完全に正の相関であるなら、2つの株式は株式市場の変化に対して同じ動きをすることになる。したがって、2つの株式へ分散投資しても、2つの株式は同じ動きをするため、リスク分散は図れない。

ウ ✗

社債に投資した場合の債権者の要求収益率は負債コストである。企業のあげた収益の一部を金利として受け取るが、その金額は契約で定められている。また、投資した元本は原則保証される。したがって、債権者はリスクをあまり負担しない。

一方、株式に投資した場合の株主の要求収益率は自己資本コスト（株主資本コスト）である。株主に帰属するリターンは、債権者に支払う金利や税金などを支払った後に残る純利益であり、これは事業環境や経営戦略によって変動する。また、株主は事業の成果が配分される順番が債権者より劣後している。株主は債権者より多くのリスクを負担している。そのため、負債コストより自己資本コストが高くなる。

よって、リスクが高いのは株式への投資である。

エ ✗

動き方の異なる証券（相関係数が1より小さい値をとる）をポートフォリオに加え、銘柄数を増やしていくことで、リスクの軽減を図ることができる。

 正解　イ

講師より

本問はファイナンス理論の基本でよく問われている内容であるため、結論をしっかり押さえましょう。特に、**期待収益率とリスクプレミアムの関係、証券の連動度合い（相関係数）とリスク分散効果の関係、リスクと個別リスク、市場リスクの関係**はしっかり押さえましょう。

重要度 Ⓐ 相関係数①

R元-17

　次の文章は、X、Yの2資産から構成されるポートフォリオのリターンとリスクの変化について、説明したものである。空欄A〜Dに入る語句の組み合わせとして、最も適切なものを下記の解答群から選べ。

　以下の図は、X、Yの2資産から構成されるポートフォリオについて、投資比率をさまざまに変化させた場合のポートフォリオのリターンとリスクが描く軌跡を、2資産間の　A　が異なる4つの値について求めたものである。

　X、Yの　A　が　B　のとき、ポートフォリオのリターンとリスクの軌跡は①に示されるように直線となる。　A　が　C　なるにつれて、②、③のようにポートフォリオのリスクをより小さくすることが可能となる。

　　A　が　D　のとき、ポートフォリオのリスクをゼロにすることが可能となり、④のような軌跡を描く。

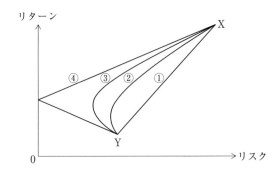

〔解答群〕

ア　A：相関係数　　B：− 1　　C：大きく　　D：ゼロ

イ　A：相関係数　　B：＋ 1　　C：小さく　　D：− 1

ウ　A：ベータ値　　B：ゼロ　　C：大きく　　D：＋ 1

エ　A：ベータ値　　B：＋ 1　　C：小さく　　D：− 1

　リターンとリスクを描いたグラフより、異なる**相関係数**の状況を描いたグラフであることが読み取れる。リターンとリスクの関係は、**相関係数が＋1の場合に直線を描く**ことになる。この相関係数が＋1の場合には、証券は全く同じ方向に動くため、リスク分散効果は得られないが、**相関係数が小さくなるにつれて、リスクの低減をはかることができる**。そして、**相関係数ー1の場合にリスク分散効果が最大になり、リスクをゼロにすることが可能となる**。

　よって、A：相関係数、B：＋1、C：小さく、D：ー1となる。

 イ

講師より

　相関係数の基本である、相関係数の数値とリスク分散効果の大小関係から判断しましょう。
●相関係数がー1　➡　**リスク分散効果が最大**（リスクが引き下げられるため、グラフの形状が左に折れ曲がる）。
●相関係数が＋1　➡　**リスク分散効果が最小かつゼロ**（リスクの低減がないため、グラフの形状が直線）。

　A、Bの2つの株式から構成されるポートフォリオにおいて、相関係数をさまざまに設定した場合のリターンとリスクを表した下図の①～④のうち、相関係数が-1であるケースとして、最も適切なものを下記の解答群から選べ。

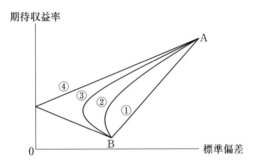

〔解答群〕
　ア ①　　**イ** ②　　**ウ** ③　　**エ** ④

　相関係数とポートフォリオ効果に関する問題である。相関係数が－1のときの、2つの株式から構成されるポートフォリオのリターンとリスクの関係が問われている。

　相関係数の符号とその数値の大きさにより、2つの証券の相関性は次のように分類される。

$\rho = 1$　　　　　　全く同じ方向に動く

$0 < \rho < 1$　　　　同じ方向に動く

$\rho = 0$　　　　　　全く関係なく動く

$-1 < \rho < 0$　　　別の方向に動く

$\rho = -1$　　　　　全く反対の方向に動く

　したがって、相関係数が－1の場合、2つの株式はまったく反対の動きをするので、2つの株式をうまく組み合わせれば、ポートフォリオのリスクを0にすることが可能となる。問題の図において、標準偏差が0にプロットされているのは④である。

正解　エ

講師より

　相関係数の問題は、相関係数の数値から、どのような連動性になっているかを意識しながら解答するようにしましょう。本問のように、「**相関係数が－1の場合、2つの証券が全く逆の動きをする**」を起点に、**逆の動きをするからリスク分散効果が最大となり、グラフの形状が左側に折れ曲がる**（＝リスクが小さくなる）と判断していくことになります。

　グラフから相関係数を判断する問題はよく出題されているため、判断ができるようにしましょう。

重要度 **A** 安全資産を含む効率的フロンティア① R元-15

ポートフォリオに関する記述として、最も適切なものはどれか。

ア 安全資産とはリスクのない資産であると定義される。

イ 安全資産と有効フロンティア上の任意の点で新しいポートフォリオを作ることにした。このとき、新たなポートフォリオのリスクとリターンの組み合わせは曲線となる。

ウ 安全資産と有効フロンティア上の任意の点で作られる最も望ましいリスク・リターンの組み合わせを証券市場線という。

エ 危険資産のみから構成されるポートフォリオの集合のうち、リスク・リターンの面から望ましい組み合わせのみを選んだ曲線を投資機会集合という。

解説

ア ⭕

収益率にリスクを伴う資産は危険資産であり、リスクのない資産は安全資産である。

イ ✖

安全資産と（危険資産のみから構成される）有効フロンティア上の任意の点で新しいポートフォリオを作る場合には、安全資産と有効フロンティア上の任意の点を通る直線が新たなポートフォリオとなる。

安全資産を組み入れたポートフォリオ

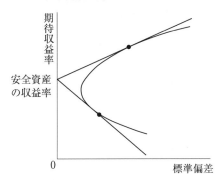

ウ ✖

安全資産と（危険資産からなる）有効フロンティア上の任意の点で作られた最も望ましいリスク・リターンの組み合わせを、**資本市場線**という。

資本市場線

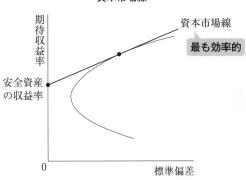

103

エ ✗

　危険資産のみから構成されるポートフォリオの集合のうち、リスク・リターンの面から望ましい組み合わせを選んだ曲線を、**有効フロンティア（あるいは効率的フロンティア）**という。なお、投資機会集合とは、選択可能な投資対象のことをいう。

投資機会集合（色網部分）と**有効フロンティア**（曲線 AB）

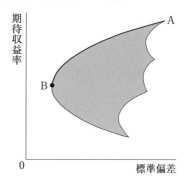

　本問は、ファイナンス理論の基本用語が問われています。有効フロンティア、投資機会集合、資本市場線はよく問われる用語であるため、本問を通して違いを押さえておきましょう。

MEMO

重要度 **A** 安全資産を含む効率的フロンティア② R4-16

　以下の図は、すべてのリスク資産と安全資産により実行可能な投資機会を表している。投資家のポートフォリオ選択に関する記述として、最も適切なものを下記の解答群から選べ。

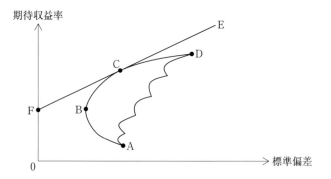

〔解答群〕

　ア　安全資産が存在しない場合、効率的フロンティアは曲線ABCDである。

　イ　安全資産が存在しない場合、投資家のリスク回避度にかかわらず、リスク資産の最適なポートフォリオは点Cになる。

　ウ　安全資産が存在する場合、投資家のリスク回避度が高いほど、リスク資産の最適なポートフォリオは曲線BCD上の点D寄りに位置する。

　エ　安全資産が存在する場合で、かつ資金の借り入れができないならば、効率的フロンティアはFCDを結んだ線となる。

解説

　証券投資論に関する問題である。

　安全資産が存在しない場合、および安全資産が存在する場合における効率的フロンティア、投資家のポートフォリオ選択が求められている。

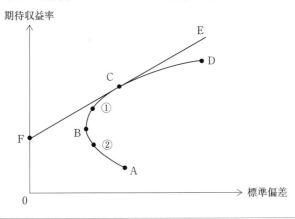

ア　✕

　安全資産が存在しない場合、効率的フロンティアは曲線BCDである。グラフ上の①点と②点を比較すると、標準偏差は同じであるが、期待収益率は①点のほうが大きいことがわかる。通常の投資家（つまりリスク回避的投資家）は、リスクが同じであればより大きなリターンを選好するため、①点を選択することになる（曲線AB間は選択しない）。

イ　✕

　安全資産が存在する場合、投資家のリスク回避度にかかわらず、リスク資産の最適なポートフォリオは点Cになる。安全資産が存在しない場合、投資家のリスク回避度に応じて、リスク資産の最適なポートフォリオは変化する。たとえば、投資家のリスク回避度が高い場合は、点Bに近いポートフォリオを選択する。

ウ　✕

　安全資産が存在する場合で、資金の借入れができるならば、効率的フロンティアは直線FCEである。よって、投資家のリスク回避度が高いほど、点Fに近いポートフォリオを選択する。

エ ○

　無リスク利子率で資金の借入れをして、その借り入れた資金で新たにリスク資産に投資する場合、効率的フロンティアは直線CEとなる（借入ポートフォリオという）。ただし、本肢は資金の借入れができないことを条件としているため、投資家のポートフォリオ選択は、直線FC（貸付ポートフォリオという）に曲線CDを描いた曲線FCDとなる。

 正解　エ

 講師より

　安全資産が存在する場合と存在しない場合で、「どこが効率的フロンティアになるか」という結論から解答するようにしましょう。

　また、効率的フロンティア上の選択において、安全資産が存在する場合、**リスク資産のポートフォリオが点Cになる**（**全投資家共通**）という結論もよく出題されますので、押さえておきましょう

　ファイナンスの問題は理屈はややこしいのですが、上記のようなよく問われる理論の結論をベースに解答する意識を持つことが重要です。

MEMO

重要度 **B**　**安全資産を含む効率的フロンティア③**　H29-23

最適ポートフォリオの選択に関する次の文中の空欄A～Cに当てはまる用語の組み合わせとして、最も適切なものを下記の解答群から選べ。

危険資産と安全資産が存在する市場では、どのような投資家であっても、選択されるポートフォリオは　A　上にある。これは、選択可能な危険資産ポートフォリオの組み合わせは無数に存在するが、選択される危険資産の組み合わせは、　A　と危険資産ポートフォリオの　B　が接する点に限られることを意味している。

　C　に左右される部分は、この唯一選択される危険資産ポートフォリオと安全資産への投資比率の決定のみとなり、危険資産ポートフォリオ自体の選択は　C　とは別に決定される。

〔解答群〕

ア　A：資本市場線　　　B：有効フロンティア　C：投資家の効用

イ　A：証券市場線　　　B：無差別曲線　　　C：投資のリターン

ウ　A：無差別曲線　　　B：資本市場線　　　C：投資の効率性

エ　A：有効フロンティア　B：証券市場線　　　C：投資のリスク

解説

　最適ポートフォリオの選択に関する問題である。安全資産を含む効率的フロンティアのリスクとリターンの図表がイメージできるかがポイントである。

　投資家にとって、危険資産のみが選択対象であるときは、下図のATBが選択対象となり、この曲線ATBを効率的フロンティア（あるいは、**有効フロンティア**）という。次に、危険資産に安全資産を導入した場合は、安全資産を示す点rfから、危険資産を示す曲線に引いた接線rf－T－T′が、新しい効率的フロンティアになる。

　ここで、すべての証券について需要と供給が等しい均衡状態においては、危険資産を示す曲線と、接線rf－T－T′の接点Tは市場ポートフォリオとよばれ、直線rf－T－T′は**資本市場線**とよばれる。

　投資家は、直線rf－T－T′で投資家の選好（効用）に従って行動する（あまりリスクを取ることを好まない人はrfに近い点で投資し、リスクをとることをより好む人はT′に近い点で投資する）。ここで、直線rf－T－T′上の**危険資産の組み合わせはすべて同一**であり、危険資産のポートフォリオと安全資産の組み合わが異なることになるため、すべての投資家は危険資産のポートフォリオは同一（市場ポートフォリオ（T））になる。

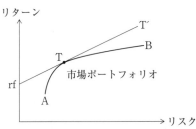

　以上より、空欄A：**資本市場線**、空欄B：**有効フロンティア**、空欄C：**投資家の効用**となる。

正解　ア

講師より

　有効フロンティアや、資本市場線という用語はよく出題されていますので、そこから正誤を判断すれば解答可能な問題です（両用語の理解があれば、空欄Cの判断は不要です）。頻出論点を押さえておけば、正誤の判断は可能な問題は多いので、基本に忠実に学習しましょう。

重要度 Ⓐ 安全資産を含む効率的フロンティア④ H28-18

　以下のグラフは、ポートフォリオ理論の下での、すべてのリスク資産と無リスク資産の投資機会集合を示している。これに関して、下記の設問に答えよ。

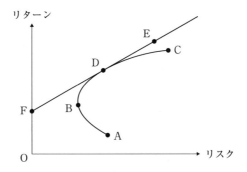

リターン

E
C
D
F　　B
A
O　　　　　　　　　　　リスク

設問1

　無リスク資産が存在しない場合の記述として最も適切なものはどれか。

ア　B－C間を効率的フロンティアと呼ぶ。

イ　均衡状態においては、すべての投資家が同一のポートフォリオを所有する。

ウ　合理的な投資家はA－B間から、各人のリスク回避度に応じてポートフォリオを選択する。

エ　投資家のリスク回避度が高くなるほど、点Cに近いポートフォリオを選択する。

設問2

無リスク資産が存在する場合の記述として最も適切なものはどれか。

ア 均衡状態においては、すべての投資家が所有する危険資産と無リスク
資産の比率は同じである。

イ 資金の借り入れが、無リスク資産利子率において無制限に可能である
場合、投資家はD－E間を選択せず、F－D間から各自のリスク回避度
に応じてポートフォリオを選択する。

ウ すべてのリスク回避的な投資家は無リスク資産のみに投資する。

エ 点Dを選択する投資家も存在する。

解 説

　問題のグラフは、投資家にとって選択可能な投資対象をグラフに表示したものである。

設問1

　無リスク資産を考慮しない場合、リスク資産のポートフォリオにおけるリターンとリスクは、グラフ上曲線ＡＣである。しかし、ＡからＢのポートフォリオについては、同じリスクでリターンの高いポートフォリオがあるために、選択対象とならない。

　したがって、リスク資産のポートフォリオとして選択が行われるのは曲線ＢＣの組み合わせの任意の点になる。このＢからＣまでの組み合わせを**効率的ポートフォリオ**といい、その集合である曲線ＢＣを**効率的フロンティア**という。

ア ○

　上記のとおりである。

イ ✗

　無リスク資産を考慮しない場合、投資家は効率的フロンティア上でリスク資産の組み合わせ比率を自由に決定し、保有する。需要と供給が等しい均衡状態において、投資家は、その選好によりリスク資産のポートフォリオの組み合わせ比率を自由に決め保有することになる。よって、同一のポートフォリオを所有するわけではない。

ウ ✗

　上記のとおりである。

エ ✗

　投資家の選択対象は曲線ＢＣの効率的フロンティアである。点Ｂはローリスクローリターンの投資集合を、点Ｃはハイリスクハイリターンの投資集合を表す。よって、リスク回避度が高くなるほど、点Ｂにポートフォリオを選択することになる（点Ｃに近いポートフォリオを選択しない）。

 正解　ア

設問2

ア ✗

需要と供給が等しい均衡状態において、グラフ上の点Dは、市場ポートフォリオとよばれ、リスク資産の最適な組み合わせを表す。すべての投資家は、点Dの組み合わせとなるリスク資産のポートフォリオと安全資産に投資することになる。ここでポイントは、すべての投資家はその選好により、リスク資産のポートフォリオと安全資産との組み合わせ比率（リスク資産と安全資産のバランス）を自由に決める。

ただし、リスク資産の組み入れ比率に関しては、投資家の個人的選択はなく、点Dの市場ポートフォリオの比率で固定される。

イ ✗

直線DEを借入ポートフォリオという。直線DE上は、投資比率が100％を超えるが、無リスク利子率で資金の借り入れをして、その借り入れた資金で新たにリスク資産に投資する場合を示したものである。したがって、無リスク利子率で資金の借り入れが可能である場合、投資家は直線DE間を選択する。

ウ ✗

無リスク資産とリスク資産が存在する場合、効率的フロンティアは安全資産を示す点Fから、リスク資産を示す双曲線に引いた接線F－D－Eになる。リスク回避的な投資家は、効率的フロンティアとそれぞれの選好に基づく無差別曲線の接点を最適ポートフォリオとして選択する。したがって、すべてのリスク回避的な投資家が、無リスク資産のみに投資するとは限らない。

エ ◯

最適ポートフォリオの決定は、投資家の選好に依存しているから、投資家の選好により、安全資産を保有せず、すべての資産をリスク資産のみ（点D）に投資する場合がある。

 正解 エ

MEMO

重要度 **Ⓐ** CAPM① H29-20

　CAPMが成立する市場において、マーケット・ポートフォリオの期待収益率が6%、安全利子率が1%のとき、当該資産の期待収益率が10%となるベータ値として、最も適切なものはどれか。

　ア 1.5

　イ 1.8

　ウ 2.0

　エ 3.0

CAPM理論における個別証券の期待収益率を求める計算式に関する問題である。問われているのはベータ値である。

ベータ値については、**CAPMの計算式に数値を代入して逆算すればよい**。

個別証券の期待収益率

= 安全利子率 + β ×(市場ポートフォリオの期待収益率 − 安全利子率)

$10\% = 1\% + \beta \times (6\% - 1\%)$

$\beta = \mathbf{1.8}$

 正解　イ

 講師より

　CAPMの計算問題もパターン問題がほとんどです。結論の式をしっかりイメージしながら問題を解くようにしましょう。

重要度 Ⓐ **CAPM②**

資本資産評価モデル（CAPM）に関する下記の設問に答えよ。

設問1

資本資産評価モデルを前提とした場合の記述として、最も適切なものはどれか。

ア $\beta = -1$である資産を安全資産と呼ぶ。

イ $\beta = 1$であるリスク資産の期待収益率は、市場ポートフォリオの期待収益率と同じである。

ウ $\beta = 2$であるリスク資産の予想収益率の分散は、$\beta = 1$であるリスク資産の予想収益率の分散の2倍である。

エ 市場ポートフォリオのリターンが正のとき、$\beta = 0.5$であるリスク資産の価格が下落することはない。

設問2

資本資産評価モデルを前提とした場合、以下の資料に基づく株式の期待収益率として最も適切なものを、下記の解答群から選べ。

【資料】

市場ポートフォリオの期待収益率：8％

無リスク資産の期待収益率：3％

β：1.4

実効税率：40％

〔解答群〕

ア 4.4%　　**イ** 7％　　**ウ** 10%　　**エ** 11.2%

設問1

ア ✕

> 安全資産はリスクプレミアムがゼロである証券であるため、ベータ（β）
> ＝0である資産を安全資産とよぶ。

イ ◯

> CAPMの計算式に$\beta = 1$を代入すれば、
> 個別証券（リスク資産）の期待収益率
> ＝リスクフリーレート＋β×（市場ポートフォリオの期待収益率
> 　－リスクフリーレート）
> ＝市場ポートフォリオの期待収益率
> となる。つまり、$\beta = 1$であるリスク資産の期待収益率は、市場ポー
> トフォリオの期待収益率と同じになる。

ウ ✕

> 証券のβが大きいほど標準偏差は大きくなるが、比例的に増減するわけ
> ではない。

エ ✕

> $\beta = 0.5$であるから、前述のとおり、個別証券のリターンは市場よりも
> 小さく動き、価格が下落することもある。

 イ

設問2

　問題の資料にデータが与えられているため、**CAPMの計算式に代入して
解けばよい**。ただし、資料の実効税率は使うことはない（ダミーデータ）。

　株式の期待収益率

＝無リスク資産の期待収益率＋β×（市場ポートフォリオの期待収益率
　－無リスク資産の期待収益率）

＝$3 + 1.4 \times (8 - 3) = 10$（%）

 ウ

講師より

　　 設問1 　は、CAPMの計算式の構成要素である β に関する応用問題です。

　応用問題であっても、CAPMの計算式をベースに考えるクセをつけましょう（本問であれば、アやイは式から絞り込むことができます）。

MEMO

重要度 Ⓐ **CAPM③**

資本資産評価モデル（CAPM）に関する記述として最も適切なものはどれか。

ア β が0以上1未満である証券の期待収益率は、無リスク資産の利子率よりも低い。

イ β がゼロである証券の期待収益率はゼロである。

ウ 均衡状態においては、すべての投資家が、危険資産として市場ポートフォリオを所有する。

エ 市場ポートフォリオの期待収益率は、市場リスクプレミアムと呼ばれる。

　CAPMの計算式は、

株式の期待収益率＝無リスク利子率＋β×（市場ポートフォリオの期待収益率－無リスク利子率）

である。

ア ✕

　上記の計算式からわかるように、βが0以上1未満である証券の期待収益率は、無リスク利子率に「β×（市場ポートフォリオの期待収益率－無リスク利子率）」がプラスされるため、無リスク資産の利子率より高くなる。

イ ✕

　上記の計算式からわかるように、βがゼロである証券の期待収益率は、無リスク利子率となり、ゼロではない。

ウ 〇

　次の図は、安全資産を含んだ効率的フロンティアである。効率的フロンティアは、無リスク利子率（rf）と接点ポートフォリオTを結んだ直線rfTT´である。

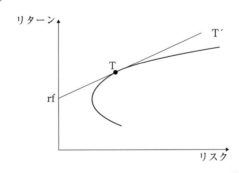

　ここで、すべての証券について需要と供給が等しい均衡状態において、接点Tは市場ポートフォリオとよばれる。市場ポートフォリオとは、市場に存在するすべての危険資産をその時価総額の比率で含んだポートフォリオである。

　したがって、すべての投資家は危険資産のポートフォリオとしては、市

場ポートフォリオ（T）を保有することになる。

エ ✕

　市場リスクプレミアム＝市場ポートフォリオの期待収益率－無リスク利子率より、市場ポートフォリオの期待収益率は、市場リスクプレミアムに無リスク利子率をプラスしたものである。

 正解 ウ

 講師より

　CAPMの問題は、理論問題であっても、結論の式から考えるようにしましょう。
　たとえば、**ア**、**イ**、**エ**はCAPMの式から考えれば、正誤の判断がつきやすくなるはずです。**ウ**は応用問題ですが、CAPM理論によれば、**すべての投資家はリスク資産の投資割合が等しくなる**という結論を、プラスアルファとして押さえておきましょう。

MEMO

重要度 **B** CAPM④

　A社の配当は60円で毎期一定であると期待されている。このとき、以下のデータに基づいてA社の理論株価を算定した場合、最も適切なものを下記の解答群から選べ。

【データ】
　安全利子率：2％
　市場ポートフォリオの期待収益率：4％
　A社のベータ値：1.5

〔解答群〕
　ア　1,000円　　**イ**　1,200円　　**ウ**　1,500円　　**エ**　3,000円

　配当割引モデルに関する問題である。理論株価を計算するには、配当金と株式の期待収益率（株主資本コスト）が必要である。株式の期待収益率は、与えられたデータからCAPMを利用して計算することになる。

【解答手順のイメージ】

解答要求：**理論株価**の計算

↓

理論株価：配当金÷**株式の期待収益率**

↓

CAPMにより計算

① **株式の期待収益率**

　CAPMの計算式より、

株式の期待収益率＝安全利子率＋ β ×（市場ポートフォリオの期待収益率
　　　　　　　　　　－安全利子率）

＝ 2 ％＋1.5×（ 4 ％－ 2 ％）＝ 5 ％

② **理論株価**

　A社の配当は60円で毎期一定であることから、配当割引モデル（ゼロ成長モデル）により計算する。

　よって、

理論株価＝配当金÷株式の期待収益率

＝60円÷ 5 ％(0.05)＝**1,200**（円）

となる。

 正解 イ

👨‍🏫 講師より

　本問は、配当割引モデルを基本としながら、計算要素である株式の期待収益率が所与ではなく、CAPMを用いて計算させるタイプの問題です。CAPMは個別証券の期待収益率を求める理論モデルであり、**CAPMの計算結果を株式の期待収益率として理論株価を計算することはパターン問題である**ため、本問を通して慣れるようにしましょう。

資本市場理論におけるベータ値に関する説明として、<u>最も不適切なものはどれか</u>。

ア 個々の証券の収益率の全変動におけるアンシステマティック・リスクを測定する値である。

イ 市場全体の変動に対して個々の証券の収益率がどの程度変動するかの感応度を表す値である。

ウ 市場ポートフォリオのベータ値は1である。

エ ベータ値は理論上マイナスの値もとりうる。

CAPM理論（資本市場理論）におけるベータ値に関する問題である。ベータ値は、市場ポートフォリオの期待収益率1単位の変化に対する個々の証券（リスク証券）の期待収益率の変化を示すリスク概念である。

ベータ値が1であれば市場ポートフォリオの期待収益率1％の変化に対する個々の証券の期待収益率の変化は1％であり、リスクは市場と同水準となる。ベータ値が1よりも大きければ、個々の証券の期待収益率は市場ポートフォリオの期待収益率よりも大きく変化するのでハイリスクであり、ベータ値が1よりも小さければローリスクと考えることができる。

ア ✕

CAPM理論によれば、証券のリスクプレミアムは市場リスクから影響を受けることになる。市場リスクは、システマティック・リスクともよばれる。

イ ○

上記のとおりである。

ウ ○

上記のとおりである。

エ ○

ベータ値のリスクの大きさは、その銘柄の収益率の標準偏差の大きさだけではなく、市場ポートフォリオの収益率との相関の大きさにもよる。したがって、相関がマイナスなら、ベータ値もマイナスになる場合がある。

 正解 ア

👤 講師より

βの応用問題です。アンシステマティック・リスクという用語や、市場ポートフォリオのβは1であるという結論は、複数回問われていますので押さえておきましょう。

重要度 **B** オプション取引①

R2-15

オプションに関する記述として、最も適切なものはどれか。

ア 「10,000円で買う権利」を500円で売ったとする。この原資産の価格が8,000円になって買い手が権利を放棄すれば、売り手は8,000円の利益となる。

イ 「オプションの買い」は、権利を行使しないことができるため、損失が生じる場合、その損失は最初に支払った購入代金（プレミアム）に限定される。

ウ オプションにはプットとコールの2種類あるので、オプション売買のポジションもプットの売りとコールの買いの2種類ある。

エ オプションの代表的なものに先物がある。

　オプション取引とは、「所定の期日（または期間）に、原資産（株式や通貨など）をあらかじめ定められた価格で買う（または売る）ことができる権利」を売買する取引をいう。通常、オプションを買う場合には、オプションの買い手が、オプションの売り手にオプションプレミアム（オプション料）を支払う必要がある。

ア ✕

　満期日に原資産を権利行使価格10,000円で買うことのできる権利（オプションプレミアムは500円とする）の損益図は次のとおりである（実線はオプションの買い手、破線はオプションの売り手を表している）。

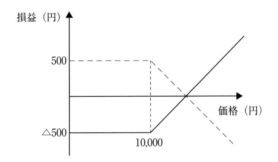

　オプションの買い手側が権利行使をしなければ（権利を放棄すれば）、オプションの売り手側は**オプションプレミアム分の500円だけ利益を得る**ことができる。

イ ◯

　オプション取引では「権利」を売買しているので、権利を購入した側（買い手）にとって不利益になるような相場の変動があった場合には、買い手は権利を放棄すれば、最初に支払ったオプション料以上の損失を被らなくて済む。

ウ ✕

　オプションの種類には、コールオプション（権利行使価格で一定数の原資産を買うことができる権利）とプットオプション（権利行使価格で一定数の原資産を売ることができる権利）がある。そして、この権利を買うポジションと売る

ポジションが存在する。したがって、**プットの買い、プットの売り、コールの買い、コールの売りの4種類が存在する。**

エ

　　先物は、将来のある時点で原資産を現時点で決めた価格により売買するという契約である。一方で、**オプションとは将来のある時点に、原資産をあらかじめ決めた価格で売買する権利を取引することであり、先物とは区別される。**なお、先物のオプションやスワップのオプションのように、デリバティブを複数組み合わせたものも存在する。

正解　イ

 講師より

　　本問は、オプションの特徴である権利について中心的に問われています。①権利は放棄すると売買に関する損益が生じないこと、②権利には購入代金（プレミアム）が必要なことを押さえましょう。

MEMO

重要度 **B** オプション取引②

行使価格1,200円のプットオプションをプレミアム100円で購入した。満期時点におけるこのオプションの損益図として、最も適切なものはどれか。

ア

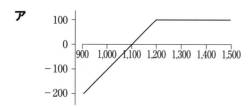

イ

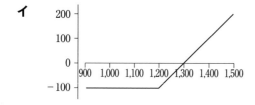

ウ

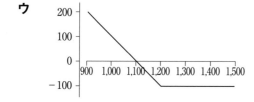

エ

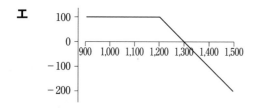

プットオプションの買い手側の損益図に関する問題である。損益図を覚えておけば、すぐに対応できる問題である。

プットオプションの買いとは、「売る権利」を買う選択権の取引である。

プットオプションの買いの場合、**原資産価格が権利行使価格を下回るほど利益が発生**し、**原資産価格が権利行使価格を上回るとオプションプレミアム分の損失が発生**する。

なお、**ア**は「プットオプションの売り手側の損益図」、**イ**は「コールオプションの買い手側の損益図」、**エ**は「コールオプションの売り手側の損益図」である。

 ウ

講師より

オプションの損益図は頻出論点であるため、しっかり押さえておきましょう。

ポイントは、①**原資産価格の変動に対するオプション損益の影響**（本問はプットオプションであり、権利行使価格で売る金額が固定されるため、原資産価格（買う金額）が下落すると利益が上昇する）、②**原資産価格次第でオプション放棄**（損失の拡大が限定的）となります。

重要度 **B** リスクヘッジ手段　H25-22

　輸入業を営むA社は、3か月後にドル建てで商品の仕入代金を支払う予定である。A社が為替リスクをヘッジするときの取引として、最も適切なものはどれか。

ア　ドル売りの為替予約を行う。

イ　ドル買いの為替予約を行う。

ウ　ドル建ての借入を行い、為替の直物レートで円を買う。

エ　ドルの3か月物コール・オプションを売る。

　輸入業者の為替リスクのヘッジ手段に関する問題である。輸入業者の場合、商品を仕入れるため、債務が発生する。ドル建てで商品の仕入代金を支払うため、ドルを買う必要がある。したがって、**ドル買いの為替予約**（将来の一定時点において約定為替相場で外国通貨の購入または売却を行う契約）を行うことが該当する。

　なお、**ア**は輸出業者の為替リスクのヘッジ手段に関するものである。**ウ**と**エ**は、本問のリスクヘッジ手段とは関係ない。

 イ

 講師より

　取引ごとの適切なリスクヘッジ手段の選択は1次試験でも2次試験でも頻出の論点であるため、しっかり押さえておきましょう。

　輸入取引　➡　為替先物予約の**買予約**、**コール**オプションの買い

　輸出取引　➡　為替先物予約の**売予約**、**プット**オプションの買い

重要度 Ⓐ **売上割引**　　　　　　　H28-2

売上控除と<u>ならない項目</u>として最も適切なものはどれか。

ア　売上値引

イ　売上戻り

ウ　売上割引

エ　売上割戻

返品、値引、割戻と現金割引の違いに関する問題である。

まず、**返品**とは、商品の品違い、品質不良、傷、汚れなどの理由で、商品自体を送り返すことをいい、売り上げた商品が送り返されることを売上戻りという。

値引とは、商品の量目不足、品質不良、傷、汚れなどの理由で、商品の代価を控除することをいい、販売した商品の代価を安くすることを売上値引という。

また、**売上割戻**とは、得意先との特約により一定の期間内に一定数量以上の商品を販売したとき、販売代金の一部を売掛金から減額するか現金などで払い戻すことをいう。いずれも会計処理は、「売上」勘定を減額する処理を行う。

一方、**現金割引**とは、代金の決済期日前に掛代金の決済が行われた場合に、実際の支払日から決済期日までの金利相当額を差し引くことをいう。現金割引は、利息に相当する性質をもつので、営業外損益として処理することになる。

売上割引は、売掛金の決済を支払期日より早く行った得意先に対して、掛代金を一部免除した場合に費用処理される勘定科目であり、損益計算書上、「**営業外費用**」に計上される。

したがって、売上控除とならない項目は、**売上割引**である。

 正 解 **ウ**

 講師より

会計系の資格試験問題の頻出論点です。ポイントは、**割引だけ取り扱いが違う**（売上を減額せず、営業外処理する）点をしっかり押さえておきましょう。

重要度 **Ⓐ** 売上原価の算定

H28-1

6月のA商品に関する仕入および売上は以下のとおりである。先入先出法を採用しているとき、6月の売上原価として最も適切なものを下記の解答群から選べ。

		数量	単価
6月1日	前月繰越	10個	200円
3日	仕　　入	50個	190円
5日	売　　上	30個	300円
11日	仕　　入	10個	210円
20日	売　　上	20個	300円
24日	仕入戻し	5個	210円
30日	次月繰越	15個	

〔解答群〕

ア 2,950円　**イ** 8,650円　**ウ** 9,600円　**エ** 15,000円

売上原価を計算する場合、まず、次月繰越額を計算し、前月繰越額と当月仕入額の合計額からこれを控除することで求める。

原価ボックスを作成すると、次のようになる。

商品（数量）

前月繰越		売上原価	
6/ 1	10 個	6/ 5	30 個
当月仕入		6/20	20 個
6/ 3	50 個	次月繰越	
6/11	10 個		
6/24	△5 個	6/30	15 個

先入先出法であるから、次月繰越の15個は、6/11に仕入れた商品5個と、6/3に仕入れた商品10個で構成されることになる。6/24に仕入戻し5個があるため、6/11に仕入れた商品は10−5＝5個である点に注意する。

よって、次月繰越額は、

（6/11）仕入210円×5個＋（6/3）仕入190円×10個＝2,950（円）となる。

したがって、

売上原価＝前月繰越2,000＋当月仕入（9,500＋2,100−1,050）−2,950

　　　＝**9,600**（円）となる。

 正解　ウ

 講師より

定期的に問われている論点であるため、本問をとおして練習しましょう。

ポイントは、払いだした（売り上げた）商品の単価がいくらになるかを意識しながら解くようにしましょう。

重要度 **B** 経過勘定

　20X2年1月1日に300,000千円を期間6カ月、年利5％で取引先Z社に貸し付けた。20X2年6月30日に利息と元金を合わせて受け取る予定である。会計期間は20X2年3月31日までの1年間である。決算にあたり計上される未収利息の金額として、最も適切なものはどれか。

ア　3,750千円

イ　7,500千円

ウ　15,000千円

エ　30,000千円

本問は、特段、難しい計算はないが、**貸付期間が6カ月、年利が5%である点に注意**して利息計算を行う。また、本問は、利息と元金を受け取る前に決算をはさんでいるため、タイムテーブルを描いて考えるとよい。

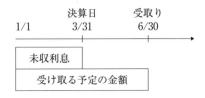

20X2年1/1に貸し付けを行っており、契約により6/30に受け取りがなされるが、1/1から3/31までの3カ月間は当期に属する収益であるから、これを未収利息として計上する必要がある。

したがって、未収利息 $= 300{,}000 \times 0.05 \times \dfrac{3}{12 \,ヵ月} = \mathbf{3{,}750}$（千円）

となる。

 ア

金利計算を誤らないように慎重に計算しましょう（期間、利率の対応を正確に）。
本問の未収利息のように、期間発生費用は決算日が区切りとなることが多いので、決算日がいつかを意識して資料を読むようにしましょう。

重要度 **A** キャッシュフロー計算書① R2-13

　キャッシュ・フロー計算書に関する記述として、最も適切なものはどれか。

ア　「営業活動によるキャッシュ・フロー」の区分では、主要な取引ごとにキャッシュ・フローを総額表示しなければならない。

イ　受取利息及び受取配当金は、「営業活動によるキャッシュ・フロー」の区分に表示しなければならない。

ウ　キャッシュ・フロー計算書の現金及び現金同等物期末残高と、貸借対照表の現金及び預金の期末残高は一致するとは限らない。

エ　法人税等の支払額は、「財務活動によるキャッシュ・フロー」の区分に表示される。

キャッシュ・フロー計算書には、直接法によるキャッシュ・フロー計算書と間接法によるキャッシュ・フロー計算書とがある。

ア ✕

営業活動によるキャッシュ・フローの表示方法には、営業活動に係る主要な取引ごとにキャッシュ・フローを総額表示する方法（直接法）と、税引前当期純利益に調整項目を加減して、営業活動によるキャッシュ・フローを純額表示する方法（間接法）の２つがあり、継続適用を条件として**選択適用が認められている**。したがって、直接法のみが認められるとする選択肢は誤りである。

イ ✕

受取利息及び受取配当金については、営業活動によるキャッシュ・フローの区分に表示する方法と、**投資活動によるキャッシュ・フローの区分に表示する方法がある**。

ウ 〇

キャッシュ・フロー計算書の現金及び現金同等物の範囲には、貸借対照表の現金及び預金のほかに、コマーシャルペーパーや公社債投資信託などが含まれている（貸借対照表の現金預金と範囲が異なる）ため、残高が一致するとは限らない。

エ ✕

法人税等は、それぞれの活動から生じる課税所得をもとに算定されるものであるため、理論的には、それぞれの活動区分に分けて記載すべきこととなる。しかし、それぞれの活動ごとに課税所得を分割することは、一般的には困難であると考えられるため、**営業活動によるキャッシュ・フローの区分に一括して記載する方法**が採用されている。

 正解 ウ

講師より

キャッシュフロー計算書の表示の学習については、細かいところまで覚えようとせず、本問を通して、ポイントとなるところを中心に押さえましょう。本問であれば**イ**、**エ**がよく問われています。

重要度 Ⓐ　**キャッシュフロー計算書②**　R5-9

　キャッシュ・フロー計算書に関する記述として、最も適切なものはどれか。

ア　間接法によるキャッシュ・フロー計算書では、棚卸資産の増加額は営業活動によるキャッシュ・フローの増加要因として表示される。

イ　資金の範囲には定期預金は含まれない。

ウ　支払利息は、営業活動によるキャッシュ・フローの区分で表示する方法と財務活動によるキャッシュ・フローの区分で表示する方法の2つが認められている。

エ　有形固定資産の売却による収入は、財務活動によるキャッシュ・フローの区分で表示される。

キャッシュ・フロー計算書に関する問題である。表示区分やキャッシュ・フローのプラス（マイナス）要因を整理しておきたい。

ア ✗

棚卸資産は営業活動によるキャッシュ・フローに表示されるが、簿記上の借方項目であり、借方の増加はキャッシュのマイナス要因（減少要因）として表示される。

イ ✗

取得日から満期日までの期間が3か月以内の短期投資である定期預金は、キャッシュ・フロー計算書上、現金同等物として扱われ、資金の範囲に含まれる。

ウ ○

選択肢のとおりである。

エ ✗

有形固定資産の売却による収入は、投資活動によるキャッシュ・フローの区分で表示される。

 正 解 ウ

👨‍🏫 講師より

キャッシュフロー計算書の表示は、基本として押さえておきましょう。また、貸借対照表項目の増加がキャッシュに与える影響は頻出論点であるため、しっかり押さえましょう（借方科目の増加はキャッシュにマイナス、貸方項目の増加はキャッシュにプラス）。

重要度 **A** キャッシュフロー計算書③　　　　R3-9

キャッシュフローが増加する原因として、最も適切なものはどれか。

ア　売掛金の減少

イ　仕入債務の減少

ウ　棚卸資産の増加

エ　長期借入金の減少

　キャッシュフローに関する問題である。キャッシュフローが増加する要因が問われている。

ア ○

　売掛金は簿記上、資産であり、資産の減少はキャッシュにプラスに作用する。

イ ✕

　仕入債務（支払手形、買掛金）は簿記上、負債であり、負債の減少はキャッシュにマイナスに作用する。

ウ ✕

　棚卸資産（商品、仕掛品等の在庫資産）は簿記上、資産であり、資産の増加はキャッシュにマイナスに作用する。

エ ✕

　長期借入金は簿記上、負債であり、負債の減少は、キャッシュフローにマイナスに作用する。

 正解 **ア**

講師より

ポイントは、**各項目の増減がキャッシュフローに与える影響の正負**になります。
　項目ごとに押さえるのではなく、資産が増えたらCFにマイナス影響、負債が増えたらプラス影響（減少はその逆）と押さえましょう。

重要度 **Ⓐ** キャッシュフロー計算書④　　H28-9

次の貸借対照表と損益計算書について、下記の設問に答えよ。

貸借対照表　　　　　　　　（単位：千円）

資産の部			負債・純資産の部		
	20X1年	20X2年		20X1年	20X2年
現金預金	30,000	20,000	買掛金	30,000	50,000
売掛金	20,000	55,000	未払費用	9,000	17,000
貸倒引当金	△1,000	△3,000	長期借入金	—	100,000
商品	40,000	50,000	資本金	100,000	100,000
建物・備品	100,000	225,000	利益剰余金	20,000	40,000
減価償却累計額	△30,000	△40,000			
	159,000	307,000		159,000	307,000

20X2年　　　　損益計算書　　　（単位：千円）

売上原価	60,000	売上	125,000
給与	28,000		
減価償却費	10,000		
貸倒引当金繰入	2,000		
支払利息	5,000		
当期純利益	**20,000**		
	125,000		125,000

設問1

キャッシュ・フロー計算書上の表示として最も適切なものはどれか。

ア 売上債権の増加額　△ 35,000千円

イ 減価償却費　　　　△ 10,000千円

ウ 固定資産の増加額　 125,000千円

エ 仕入債務の増加額　△ 20,000千円

設問2

財政状態に関する記述として最も適切なものはどれか。

ア 固定比率は改善している。

イ 自己資本比率は改善している。

ウ 正味運転資本は減少している。

エ 流動比率は悪化している。

解 説

設問1

キャッシュ・フロー計算書上の表示（間接法）が問われている。20X1年を前期、20X2年を当期とする。

ア ◯

売掛金の当期末55,000 − 前期末20,000 ＝ 35,000より、売上債権は35,000増加している。売上債権の増加は、キャッシュにマイナスの影響を及ぼすため、表示上「売上債権の増加額△35,000」となる。

イ ✕

減価償却費は、非資金費用のため、キャッシュ・フローの計算においてプラスの調整になる。

ウ ✕

固定資産は増加しているため、取得による支出として「固定資産の増加額△125,000」となる。

エ ✕

仕入債務の当期末50,000 − 前期末30,000 ＝ 20,000より、仕入債務は20,000増加している。仕入債務の増加は、キャッシュにプラスの影響を及ぼすため、表示上「仕入債務の増加額20,000（マイナスではない）」となる。

 正解 ア

設問2

各経営指標は次のとおりとなる。

	20X1年	20X2年	判定	計算式
固定比率	58.3%	132.1%	悪化	固定資産÷自己資本×100（%）
自己資本比率	75.5%	45.6%	悪化	自己資本÷総資本×100（%）
正味運転資本	50,000	55,000	増加	流動資産－流動負債
流動比率	228.2%	182.1%	悪化	流動資産÷流動負債×100（%）

（小数点以下第2位を四捨五入）

 正解　エ

講師より

設問1は、基本的に、各項目の増減がキャッシュフローにプラスの影響を与える
か、マイナスの影響を与えるかを押さえていれば解答できます。
　また、キャッシュフロー計算書の表示は下記のように押さえましょう（例：売上債権が
100減少した場合）。
　表示科目：項目の増減を表す名称となる（売上債権の減少額）
　金額の正負：キャッシュフローに与える影響を表す（＋100）

重要度 Ⓐ キャッシュフロー計算書⑤ H27-9

キャッシュフローの減少額として最も適切なものはどれか。

ア 減価償却費

イ 仕入債務の増加

ウ 棚卸資産の増加

エ 長期借入金の増加

キャッシュフローの減少となる要因が問われている。

ア ✕

　減価償却費は、非資金費用であるため、キャッシュフローを求める際はプラスをする必要がある。

イ ✕

　貸借対照表の借方項目（運用状態）が増えれば、キャッシュはマイナスに作用し、貸方項目（調達源泉）が増えれば、キャッシュはプラスに作用する。したがって、仕入債務（支払手形、買掛金）は、簿記上、負債であり、貸方項目（調達源泉）の増加であるため、キャッシュはプラスに作用する。

ウ 〇

　イの解説のとおりである。

エ ✕

　長期借入金の増加は、財務活動によるキャッシュフローとしてプラスに作用する。

 ウ

講師より

　各項目の増減がキャッシュフローに与える影響の正負がポイントとなります。項目ごとに押さえるのではなく、資産が増えたらキャッシュフローにマイナス影響、負債が増えたらキャッシュフローにプラス影響（減少は逆）から解答するようにしましょう。
　また、代表的な財務CFの項目は押さえるようにしましょう。

原価計算に関する記述として最も適切なものはどれか。

ア 原価計算における総原価とは、製造原価を意味する。

イ 原価計算は、財務諸表を作成する目的のためだけに行う。

ウ 原価計算は、製造業にのみ必要とされる計算手続きである。

エ 材料費・労務費・経費の分類は、財務会計における費用の発生を基礎とする分類である。

解説

ア ✗

総原価とは、製造原価、販売費および一般管理費のすべてを合計したものである。

イ ✗

原価計算基準における原価計算の主目的は5つある。5つの主目的については以下のとおりである（原価計算基準1）。

①企業の出資者、債権者、経営者等のために、過去の一定期間における損益ならびに期末における財政状態を財務諸表に表示するために必要な真実の原価を集計すること。

②価格計算に必要な原価資料を提供すること。

③経営管理者の各階層に対して、原価管理に必要な原価資料を提供すること。

④予算の編成ならびに予算統制のために必要な原価資料を提供すること。

⑤経営の基本計画を設定するにあたりこれに必要な原価情報を提供すること。

ウ ✗

製造業以外にもサービス業などでもサービス原価報告書を作成するための計算手続きとして利用される場合がある。

エ ◯

財務会計における費用の発生を基礎とする分類とは、材料費、労務費および経費に分類される。この分類は、原価の最も基本的な分類である（形態別分類という）。

 正解　エ

講師より

　ア、**エ**で問われているような原価の分類は頻出論点になりますので、しっかり復習しましょう。

重要度 Ⓐ **個別原価計算**　　　　　　　　　R3-7

以下の資料は、工場の2020年8月分のデータである。このとき、製造指図書#11の製造原価として、最も適切なものを下記の解答群から選べ。

【資料】

(1) 直接費

製造指図書	材料消費量	材料単価	直接作業時間	賃率
#11	50kg	@2,000円／kg	100時間	1,200円／時
#12	60kg	@2,500円／kg	110時間	1,200円／時
#13	50kg	@1,500円／kg	90時間	1,200円／時

(2) 間接費

製造間接費実際発生額：150,000円

製造間接費は直接作業時間を配賦基準として各製品に配賦する。

〔解答群〕

ア 220,000円

イ 228,000円

ウ 270,000円

エ 337,000円

解説

　個別原価計算に関する問題である。製造指図書#11の製造原価のみが問われているため、#11のみ計算すればよい。本問では**製造間接費の配賦（配賦基準の割合による原価の割り振り計算）がポイント**となる。

　直接材料費：50kg×2,000円/kg＝100,000円
　直接労務費：100時間×1,200円/時＝120,000円
　製造間接費は、直接作業時間が配賦基準のため、
　150,000÷（100時間＋110時間＋90時間）＝500円/時
　#11の間接費：500円/時×100時間＝50,000円
　したがって、100,000＋120,000＋50,000＝270,000（円）となる。

 ウ

　なお、原価計算表を完成させると、以下のようになる。

原価計算表　　　　　　（単位：円）

	#11	#12	#13	合計
直接材料費	100,000	150,000	75,000	325,000
直接労務費	120,000	132,000	108,000	360,000
製造間接費	50,000	55,000	45,000	150,000
合計	270,000	337,000	228,000	835,000

 講師より

　個別原価計算は、**間接費の配賦計算**（配賦基準の割合による原価の割り振り）がポイントになります。配賦基準は問題文中で必ず指示が与えられる（本問は直接作業時間）ので、見逃さずチェックするようにしましょう。

重要度 **A** 総合原価計算 H29-8

　単純総合原価計算を採用しているA工場の以下の資料に基づき、平均法により計算された月末仕掛品原価として、最も適切なものを下記の解答群から選べ。なお、材料は工程の始点ですべて投入されている。

【資料】
　(1)　当月の生産量

月初仕掛品	200個	（加工進捗度50％）
当月投入	800個	
合　計	1,000個	
月末仕掛品	400個	（加工進捗度50％）
当月完成品	600個	

　(2)　当月の原価

月初仕掛品直接材料費	200千円
月初仕掛品加工費	100千円
当月投入直接材料費	1,000千円
当月投入加工費	700千円

〔解答群〕
　ア　500千円　　**イ**　680千円　　**ウ**　700千円　　**エ**　800千円

　本問は平均法での計算であり、基本的な問題である。直接材料費と加工費について、数量および原価データを図示すると次のようになる（平均法であるため、月初仕掛品および当月投入の個数を個別に計算する必要はない。そこで、月初仕掛品＋当月投入数量が当月完成品＋月末仕掛品の数量に基本的に一致することを利用し、当月完成品および月末仕掛品の個数の合計で計算すればよい）。

直接材料費

月初仕掛品＋当月投入	当月完成品
数量：600＋400 ＝1,000個 原価：200＋1,000 ＝1,200千円	数量：600個 原価：
	月末仕掛品 数量：400個 原価：

（1,200千円÷1,000個）×600個 ＝720千円

（1,200千円÷1,000個）×400個 ＝480千円

加　工　費

月初仕掛品＋当月投入	当月完成品
数量：600＋200 ＝800個 原価：100＋700 ＝800千円	数量：600個 原価：
	月末仕掛品 数量：200個※ 原価：

（800千円÷800個）×600個 ＝600千円

（800千円÷800個）×200個 ＝200千円

※400個×加工進捗度50％

したがって、月末仕掛品原価＝480＋200＝**680**（千円）となる。

正解　イ

講師より

　総合原価計算は数量比で完成品と仕掛品に原価を按分しますが、ポイントは、**直接材料費と加工費で用いる数量が異なる**（直接材料費は実在量比、加工費は完成品換算量比）ため、両者を分けて計算することになります。
　また、総合原価計算はパターン的に問われる傾向があるため、本問を通して計算に慣れましょう。

重要度 **Ⓐ** 標準原価計算　　　　H25-10

標準原価計算を実施しているＡ社の当月に関する以下のデータに基づき、材料数量差異として最も適切なものを、下記の解答群から選べ。なお、材料は工程の始点で投入される。

直接材料費の原価標準データ

　300円/kg × 3 kg ＝ 900円

当月の生産関連データ

　当月材料消費量　3,100kg　材料消費価格　310円/kg

　月初仕掛品　　　200単位

　当月完成品　　　900単位

　月末仕掛品　　　300単位

〔解答群〕

　ア　不利差異　　30,000円

　イ　不利差異　　31,000円

　ウ　不利差異　　61,000円

　エ　不利差異　120,000円

計算手順は、売上高差異や費用差異と同一である。

当月の生産関連データを用いて、**材料の標準消費量を計算することがポイ**
ントである。

仕掛品勘定

月初 200単位	当月完成 900単位
当月投入（差引） **1,000単位**	月末 300単位

価　格

実際 @310

価格差異＝(@300－@310)×3,100＝－31,000

標準 @300

標準直接材料費 ┊ 数量差異

数　量

標準3,000kg　　　実際3,100kg

＝**1,000単位**×3kg

したがって、

材料数量差異＝標準価格×(標準消費量－実際消費量)

$$= @300 \times (3,000\text{kg} - 3,100\text{kg})$$

$$= \mathbf{-30,000}（円）$$

となる（マイナスであるため、不利差異となる）。

　ア

講師より

　標準原価計算における差異分析の計算のポイントは、標準消費量の計算（**当月投入数量**
×1個あたりの標準消費量）になります。完成品数量×1個あたりの標準消費量にしないよ
うに注意しましょう。また、本問のような差異分析に関する問題では、上記のような図
を描いて解くと効果的です。

　なお、本問は問題11と計算の構造がかなり近いため、セットで学習しましょう。

MEMO

MEMO

第３分冊

運営管理

CONTENTS

Part1　生産管理

Part2　店舗・販売管理

重要度 **A** 評価指標

R5-1

　生産活動における評価指標の算出に関する記述の正誤の組み合わせとして、最も適切なものを下記の解答群から選べ。

a　単位時間当たりに処理される仕事量を測る尺度として、歩留りを求めた。

b　生産可能量に対する実際生産量の比率として、操業度を求めた。

c　産出量に対する投入量の比率として、生産性を求めた。

〔解答群〕

ア　a：正　　b：正　　c：誤
イ　a：正　　b：誤　　c：正
ウ　a：誤　　b：正　　c：正
エ　a：誤　　b：正　　c：誤
オ　a：誤　　b：誤　　c：正

a 誤

「単位時間に処理される仕事量を測る尺度」とは、**スループット**のことである（JIS Z 8141-1208）。歩留りは、「投入された主原材料の量と、その主原材料から実際に産出された品物の量との比率（JIS Z 8141-1204）」である。

b 正

JIS Z 8141-1237「稼働率」の注釈3において「操業度は、一定期間において、生産可能量に対する、実際生産量の比率をいう」との記載があるため、本肢は正しい。なお「稼働率」は「就業時間に対する人の、又は利用可能時間に対する機械の、有効稼働時間の比率」と定義されているので、併せておさえておきたい。

c 誤

生産性は「投入量に対する、産出量の比率」（JIS Z 8141-1238）と定義されている。この選択肢は、**「産出」と「投入」の順序が逆になっている**。

 エ

　毎年恒例のように第1問で問われる、評価指標（または管理指標）の設問です。JIS定義を一文字一句覚えるのは難しいですが、本問を通じて用語と意味をしっかりとリンクさせていきましょう。

生産における管理目標（PQCDSME）に関する記述として、最も適切なものはどれか。

ア 職場環境に関する評価を行うために、検査によって不適合と判断された製品の数を検査対象の製品の総数で除して求められる不適合率を用いた。

イ 職場の安全性を評価するために、延べ労働損失日数を延べ実労働時間数で除し1,000を乗じて求められる強度率を用いた。

ウ 生産の効率性を評価するために、労働量を生産量で除して求められる労働生産性を用いた。

エ 納期に関する評価を行うために、動作可能時間を動作可能時間と動作不能時間の合計で除して求められる可用率を用いた。

ア ✕

　Eは環境性（EnvironmentまたはEcology）を指し、選択肢にある「職場環境」とは無関係である。また後半の**「不適合率」はQ、すなわち品質**（Quality）の管理指標のひとつである。

イ 〇

　「強度率」はS、すなわち安全性（Safety）の管理指標のひとつである。

ウ ✕

　「労働生産性」はP、すなわち生産性（Productivity）の管理指標のひとつである。正しくは、**生産量を労働量で除して求める。**

エ ✕

　「可用率」は、文字どおり設備の可用性（使いたいときに問題なく使える能力と考えよう）を評価する管理指標である。**D、すなわち納期（Delivery）を評価するものではない。**

 イ

👤 講師より

　管理指標や生産合理化・改善に関する用語が、第1問など冒頭で出題されることが多いです。出鼻をくじかれないためにも、PQCDSME、3S、5S、ECRSなどのアルファベットの一つひとつが何を表しているのか内容を確実に理解し覚えましょう。

重要度 **B** 度数率

安全性の評価値のひとつとして用いられる災害発生の頻度を表す度数率の式として、最も適切なものはどれか。

ア (死傷災害件数×1,000,000)／延べ労働時間数

イ (死傷災害件数×1,000,000)／延べ労働日数

ウ (労働損失日数×1,000)／延べ労働時間数

エ (労働損失日数×1,000)／延べ労働日数

　「度数率」は、労働災害の発生頻度に関する指標で、**100万のべ労働時間あたりの死傷災害件数**により表す。したがって、以下の式と同一である選択肢**ア**が正解である。

　　度数率＝（死傷災害件数×1,000,000）／延べ労働時間数

　なお、同じく労働災害の発生頻度に関する指標として「年千人率」があり、1年間における労働者1,000人あたりの労働災害による死傷者数の割合により表す。

　　年千人率＝（1年間の死傷者数×1,000）／1年間の平均労働者数

　また、災害の重さの程度に関する指標として「強度率」があり、1,000のべ労働時間あたりの労働損失日数の割合により表す。本問では選択肢**ウ**の式が該当する。

　　強度率＝（労働損失日数×1,000）／延べ労働時間数

 ア

講師より

　災害の頻度を表す「度数率」と「年千人率」、災害の重さを表す「強度率」について、名称と内容を紐づけて、算出式とともに理解し覚えましょう。特に「度数率」と「強度率」を混同している受験生が多いので要注意です！**「度数で頻度、強度で重さ」**と覚えてください。

重要度 **C** 5 S

R3-1

5Sに関する以下の文章において、空欄A〜Cに入る用語の組み合わせとして、最も適切なものを下記の解答群から選べ。

A は必要なものを必要なときにすぐ使用できるように、決められた場所に準備しておくことである。 B は C が繰り返され、汚れのない状態を維持していることである。

〔解答群〕

ア A：整頓　　B：清潔　　C：躾→整理→整頓

イ A：整頓　　B：清潔　　C：整理→整頓→清掃

ウ A：整頓　　B：清掃　　C：整理→清潔→躾

エ A：整理　　B：清潔　　C：整理→整頓→清掃

オ A：整理　　B：清掃　　C：躾→整理→整頓

　5Sは、整理、整頓、清掃、清潔、しつけ（躾）をローマ字表記した頭文字に由来する用語である。

　それぞれの内容は以下のとおりである。

① 整理：必要なものと不必要なものを区別し、不必要なものを片付けること

② 整頓：必要なものを必要なときにすぐに使用できるように、決められた場所に準備しておくこと

③ 清掃：必要なものに付いた異物を除去すること

④ 清潔：整理・整頓・清掃が繰り返され、汚れのない状態を維持していること

⑤ しつけ（躾）：決めたことを必ず守ること

　上記をふまえ、空欄Aには②整頓が、空欄Bには④清潔が、空欄Cには①整理→②整頓→③清掃が、それぞれ入ることがわかる。

　よって、**イ**が正解である。

 正解　イ

 講師より

　5項目の内容をおさえるとともに、「整理」と「整頓」はどっちが先なのかなど順番にも気をつけましょう！自分の勉強している机の上をイメージすると覚えやすいですよ（マンガなど勉強に必要ないものは、整頓の前にまず片付けましょう！）。

重要度 **B** 生産の合理化

R2-21

生産の合理化に関する記述として、最も適切なものはどれか。

ア ECRSの原則とは、作業を改善する際に、より良い案を得るための指針として用いられる問いかけの頭文字をつなげたもので、最後にする問いかけはStandardizationである。

イ 合理化の3Sとは、標準化、単純化、専門化で、これは企業活動を効率的に行うための基礎となる考え方である。

ウ 単純化とは、生産において分業化した各工程の生産速度や稼働時間、材料の供給時刻などを一致させる行為である。

エ 動作経済の原則とは、作業を行う際に最も合理的に作業を行うための経験則で、この原則を適用した結果としてフールプルーフの仕組みが構築できる。

ア ✖

ECRSの原則が「作業を改善する際に、より良い案を得るための指針として用いられる問いかけの頭文字をつなげたもの」であることは正しい。一方、その「問いかけ」は、順に「なくせないか（Eliminate）」「一緒にできないか（Combine）」「順序の変更はできないか（Rearrange）」「**単純化できないか**（Simplify）」である。Standardizationは選択肢**イ**の３Sのひとつである。

イ 〇

選択肢のとおり、３Sは合理化における基本原則で、標準化（Standardization）、単純化（Simplification）、専門化（Specialization）の英単語の頭文字をとったものである。JISの生産管理用語では、企業活動を効率的に行うための考え方、と定義されている。

ウ ✖

選択肢の内容は「**同期化**」の説明である。同期化により、工程において仕掛品の滞留や遊休などが生じないようにする。単純化（Simplification）は選択肢**イ**の３Sのひとつで、製品や仕事の種類を減らして生産を簡略化することで、生産効率の向上を図ることである。

エ ✖

前半部分の記述は正しい。しかし**動作経済の原則**と、**フールプルーフ**（使用者が操作方法を誤ることのできない仕掛け：例として、洗濯機のドラムは蓋を閉めないと回転しない）とは、**直接関係がない**。

 正解 **イ**

 講師より

生産の合理化は２次試験でも活用必須の超重要論点です！

重要度 **A**　生産形態　H28-2

生産形態に関する記述として、最も不適切なものはどれか。

ア　少品種多量生産では、加工・組立の工数を少なくする製品設計が有用である。

イ　少品種多量生産では、工程の自動化が容易で、品種の変化に対するフレキシビリティが高い。

ウ　多品種少量生産では、進捗管理が難しく、生産統制を適切に行わないと納期遵守率が低下する。

エ　多品種少量生産では、汎用設備の活用や多能工化が有用である。

ア ○

　同じ製品を繰り返し大量に生産する少品種多量生産では、生産の効率化がより強く望まれる。本肢の内容である、製品設計による加工・組立工数の削減により生産工程を簡素化することは、効率化につながり有用である。

イ ✕

　工程の自動化が容易である点は正しい。しかし、工程を自動化することで、専用設備を用いるため、**品種の変化に伴う臨機応変な対応は困難**であり、フレキシビリティ（柔軟性）が高いとはいえない。

ウ ○

　多品種少量生産では、工程や生産リードタイムが異なるさまざまな製品を同時並行的に生産するため、少品種多量生産と比較して進捗管理が難しい。進捗管理を含め、生産統制を適切に行わないと納期遅延が発生し、納期遵守率が低下する。

エ ○

　多品種少量生産では、工程が異なるさまざまな製品を生産するために、さまざまな加工を行うことができる汎用設備を装備することや、さまざまな工程を担当できるように多能工化を図ることは有用である。

正解　イ

講師より

　生産形態に関する理解は、２次試験をふまえても非常に重要です。生産の時期、生産数量と品種、仕事の流し方といった分類の観点にもとづき、それぞれの生産形態の名称と内容、メリット・デメリット、さらに相互の関係性をしっかり理解しましょう。

生産現場におけるレイアウトのための分析手法に関する記述として、最も適切なものはどれか。

ア DI分析では、横軸に製品、縦軸に生産量をとり、グラフを作成する。

イ SLPにおける相互関係図表は、アクティビティ間の立体的な大きさについて評価する。

ウ 流れ線図は、対象物の移動経路を工場配置図または機械配置図の上に、工程図記号を使って線図で記入し作成する。

エ フロムツウチャートは、列を機械設備、行を製品とし、セルに各設備の生産量を示して作成する。

ア ✕

　　DI分析（Distance-Intensity分析）は、運搬物の各設備間の距離（Distance）を横軸に、運搬量（Intensity）を縦軸にとり、それらの関係をグラフで示して工場のレイアウトを評価する手法である。選択肢の内容は、**P-Q分析であれば正しい**。

イ ✕

　　アクティビティ相互関係図表は、生産にかかわるさまざまなアクティビティを、互いに近接させて配置するのか、あるいは離して配置するのかを検討、評価する手法である。**アクティビティ間の立体的な大きさについては評価しない**。

ウ 〇

　　選択肢の記載内容どおりである。

エ ✕

　　多品種少量生産の職場における設備などの配置を計画する際に活用されるフロムツウチャートは、**列に後工程の機械設備を、行に前工程の機械設備を、配置順に記載**する。また**セルには、運搬重量または運搬距離を記載**する。

 正解　　ウ

講師より

　　SLPは、P-Q分析から面積（スペース）相互関係ダイアグラムに至るまでの一連の流れを、まずは理解しましょう！特に「相互関係～」から始まる名称の手順が3つもあるので、その切り分けがポイントです。

重要度 **Ⓐ** 工場レイアウト R3-7

生産される製品の品種数・生産量に応じて、適切な工場レイアウトのタイプは異なってくる。下図は、品種数と生産量の多少に対応する工場レイアウトのタイプを示したものである。

この図の空欄A〜Dに入る工場レイアウトのタイプの組み合わせとして、最も適切なものを下記の解答群から選べ。

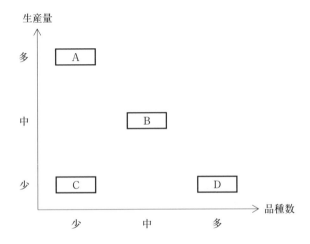

〔**解答群**〕

ア A：工程別レイアウト B：グループ別レイアウト
C：製品固定型レイアウト D：製品別レイアウト

イ A：工程別レイアウト B：製品固定型レイアウト
C：グループ別レイアウト D：製品別レイアウト

ウ A：製品別レイアウト B：グループ別レイアウト
C：製品固定型レイアウト D：工程別レイアウト

エ A：製品別レイアウト B：製品固定型レイアウト
C：グループ別レイアウト D：工程別レイアウト

まずグラフの縦軸、横軸に注目する。縦軸は「生産量」、横軸は「品種数」とあることから、設問文や選択肢と併せて、生産形態に応じた適切な工場レイアウトに関する知識が問われていることを、早期に理解したい。

空欄A

生産量は「多」、品種数は「少」。よって、少品種多量生産に適した「**製品別レイアウト**」が入る。

空欄B

生産量は「中」、品種数も「中」。よって、中品種中量生産に適した「**グループ別レイアウト**」が入る。

空欄C

生産量は「少」、品種数も「少」。解答群の候補も併せて判断材料とし、船舶など大型製品の生産に適した「**製品固定型レイアウト**」が入る。

空欄D

生産量は「少」、品種数は「多」。よって、多品種少量生産に適した「**工程別レイアウト**」が入る。

 正解 ウ

講師より

　図の読み取り問題ということで一瞬ドキッとさせられますが、冷静に設問文や選択肢を眺めると、極めてスタンダードな問いでした。

　運営管理では図の読み取りや計算処理を求める設問が増える傾向にあり、その難易度を見極めて後回しにするかどうかの判断も、テクニックとしては重要です！　何も考えず最初から順番に解くなんてことのないように…。

重要度 **C** フロムツウチャート

R元-3

　ある工場でA～Eの5台の機械間における運搬回数を分析した結果、次のフロムツウチャートが得られた。この表から読み取れる内容に関する記述として、最も適切なものを下記の解答群から選べ。

From＼To	A	B	C	D	E
A		12	5	25	
B			11		4
C				2	
D	11				
E		27			

〔解答群〕

　ア　機械Aから他の全ての機械に品物が移動している。

　イ　逆流が一カ所発生している。

　ウ　他の機械からの機械Bへの運搬回数は12である。

　エ　最も運搬頻度が高いのは機械A・D間である。

解説

　SLPにおける物の流れ分析のフロムツウチャートに関する問題である。

　フロムツウチャート（流出流入図表）は、多品種少量生産の職場の、機械設備および作業場所の配置計画をするときに用いられる。物の流れに関する分析に使用するもので、生産ラインの前工程（From）と後工程（To）の関係を定量的に表し、工程間の相互関係を分析する。

ア ✕

　図によると、機械Aからだけでなく、機械BやCからも品物が移動しているため不適切である。なお、選択肢**イ**の解説のとおり、機械DとEからの逆流による品物の移動も発生している。

イ ✕

　図によると、機械DからAに、また機械EからBに逆流が発生しているため不適切である。

ウ ✕

　図によると、機械Bへの運搬回数は、機械Aから12、機械Eから27で、合計39のため不適切である。

エ 〇

　図によると、機械AからDへの正流で25、機械DからAへの逆流で11、合計の運搬回数は36で他の機械間よりも多く、最も運搬頻度が高い。

 正解　**エ**

講師より

　近年は、図表の読み取りができるかを問われることが多くなっています。本問のように、冷静に読み取れば問題なく正答できる易しい設問も多いですが、あまり時間をかけすぎないように注意しましょう。

ライン生産方式

生産ラインの工程編成に関する記述として、<u>最も不適切なもの</u>はどれか。

ア サイクルタイムは、生産ラインに資材を投入する時間間隔を規定する。

イ 正味稼働時間を生産量で除算することにより、サイクルタイムを求めることができる。

ウ 総作業時間を生産速度で除算することにより、最小工程数を求めることができる。

エ バランスロスは、1から編成効率を減算することで求めることができる。

解説

ア ○

選択肢のとおりである。なお、サイクルタイムは通常、製品が産出される時間間隔に等しく、生産ラインのなかで最も長い要素作業時間に相当する。

イ ○

選択肢**ア**の解説のとおり、**サイクルタイムは製品が産出される時間間隔に等しい**。したがって、正味稼働時間を生産量で除算することで、製品産出間隔、すなわちサイクルタイムを求めることができる。たとえば、正味稼働時間を8時間（480分）、生産量を80個とすると、サイクルタイムは6分（＝480分÷80個）となる。

ウ ✕

総作業時間を**サイクルタイム**で除算することにより、最小工程数を求めることができる。なお、生産速度はサイクルタイムの逆数である。たとえば、正味稼働時間を8時間、生産量を80個とすると、生産速度は毎時10個（＝80個÷8時間）となる。

エ ○

選択肢のとおりである。なお、編成効率はラインバランス効率ともいう。％で表すと、バランスロス率（％）＝100％－ラインバランス効率（％）となる。

 正解　ウ

講師より

生産ラインにおける各工程の所要時間差があると、スムーズな生産がしにくくなります。そこで、各工程の作業量を均等化する「ラインバランシング」を行います。本問で問われた用語を確実に理解したうえで、ラインバランシングの手順も押さえましょう。

重要度 Ⓐ **ライン編成効率**　R3-5

　ある単一品種ラインにおいて、1か月864個の生産を計画している。当該の計画生産能力を25日／月、8時間／日、稼働率90％として作業編成を行った結果、下表となった。このときのライン編成効率の範囲として、最も適切なものを下記の解答群から選べ。

ワークステーションNo.	作業時間（分）
1	11.3
2	11.2
3	12.5
4	11.5

〔解答群〕

ア　70.0％未満

イ　70.0％以上80.0％未満

ウ　80.0％以上90.0％未満

エ　90.0％以上

ライン編成効率は、以下の式により算出される。

$$\text{ライン編成効率} = \frac{\text{各工程の所要時間の合計}}{\text{サイクルタイム} \times \text{作業ステーション数}}$$

上記のうち、サイクルタイムが与えられていないため、まずはサイクルタイムを算出した後、ライン編成効率を算出するという手順で本問は解いていく。

手順①サイクルタイムの算出

サイクルタイムは、以下の式により算出される。

$$\text{サイクルタイム} = \frac{\text{生産期間}}{(\text{生産期間中の}) \text{生産量}}$$

$$= \frac{25(\text{日}) \times 8(\text{時間}) \times 90\% \times 60(\text{分})}{864(\text{個})}$$

$$= 12.5(\text{分})$$

手順②ライン編成効率の算出

$$\text{ライン編成効率} = \frac{\text{各工程の所要時間の合計}}{\text{サイクルタイム} \times \text{作業ステーション数}}$$

$$= \frac{11.3(\text{分}) + 11.2(\text{分}) + 12.5(\text{分}) + 11.5(\text{分})}{12.5(\text{分}) \times 4(\text{ステーション})}$$

$$= 0.93$$

よって、ライン編成効率は93%である。

正解　エ

講師より

　ライン生産方式の論点の中でも、ライン編成効率は頻出です。単純な計算問題で必ず得点できるよう、実際に手を動かして解いておきましょう。時間がかかりがちな処理系の設問の中でも、この設問のようにサッと解けるものも多いです。初出題時はともかく、また出た場合には、落とすともったいないですよ！

重要度 **C** 生産ラインの生産性向上　　H21-20

　生産ラインの生産性の向上を狙った次の改善施策のうち、<u>最も不適切なもの</u>はどれか。

ア　異品の組付けによる不良発生を防ぐために、部品棚にポカよけ装置を設置した。

イ　各工程の作業者の作業効率を高めるために、部品や工具をできるだけ作業者の作業位置に近づけて供給した。

ウ　生産ラインのバランスロスを抑制してライン全体の生産効率を高めるために、直線ラインをU字化し、作業分担を見直した。

エ　段取作業による生産ラインの停止時間を抑制するために、外段取作業を内段取作業化した。

ア ○

ポカよけとは、人的な要因や、作業環境に起因するミスを防止するための仕組みを指す。たとえば、部品置き場に見た目での判別が難しい類似部品がある場合、「類似分に注意！」といった注意書きを掲示しておくことなどが、ポカよけにあたる。

イ ○

たとえば、繰り返し作業が続く職場をイメージすると理解しやすい。部品や工具を取るときに、手の届くところにある場合と、一歩でも移動が必要なところにある場合とでは、何百回と繰り返す間に大きな所要時間差がでるはずである。

ウ ○

U字化することで、バランスロスを削減するための作業の割付がしやすくなる。

エ ✗

外段取と内段取が逆になっている。生産ラインの停止時間を短縮するには、ライン停止を伴う内段取時間の短縮が肝要である。そこで内段取の作業内容を精査し、**外段取でできる作業は、可能な限り外段取化する。**

 正解 エ

講師より

選択肢**エ**の「内○○」「外○○」のように、対照的な概念が本試験で問われたら、「逆になっているのでは？」と疑ってみましょう。

重要度 Ⓐ ジャストインタイム R3-6

　ジャストインタイムに関する以下の文章において、空欄A〜Cに入る用語の組み合わせとして、最も適切なものを下記の解答群から選べ。

　ジャストインタイムは、すべての工程が　A　工程の要求に合わせて、必要な物を、必要なときに、必要な量だけ生産する方式である。この方式の実現のためには、　B　工程の生産量を平準化することが重要である。また、この方式は　A　工程から引き取られた量を補充するため、　C　方式とも呼ばれている。

〔解答群〕

ア　A：前　　B：最終　　C：引張

イ　A：前　　B：第一　　C：押出し

ウ　A：後　　B：最終　　C：押出し

エ　A：後　　B：最終　　C：引張

オ　A：後　　B：第一　　C：引張

ジャストインタイムはJIS定義によると、以下のとおりである。

「すべての工程が、**後工程**の要求に合わせて、必要な物を、必要なときに、必要な量だけ生産（供給）する生産方式。その狙いは、作りすぎによる中間仕掛品の滞留、工程の遊休などが生じないように、生産工程の流れ化（スムーズに流れること）と生産リードタイムの短縮にある。ジャストインタイムを実現するためには、**最終組立工程**の生産量を平準化すること（平準化生産）が重要である。ジャストインタイムは、後工程が使った量だけ前工程から引き取る方式であることから、後工程引取方式（プルシステム）ともいうJIS Z 8141-2201」

なお上記のJIS定義と表現が異なるが、「後工程引取方式」は「引張方式」や「引っ張り生産」ということもある。

 正解　エ

講師より

　ジャストインタイムでは、トヨタ生産方式（リーン生産方式）、自動化、かんばん方式などのポイントをおさえましょう。ここ5年、頻出論点となっています！

　また、本問のようにJIS定義と異なる表現でも、冷静に観察して本質的な意味から正しい選択肢を導きたいですね。

重要度 **Ⓐ** **生産方式**

R4-4

生産方式に関する記述の正誤の組み合わせとして、最も適切なものを下記の解答群から選べ。

a オーダエントリー方式は、生産工程にある半製品に顧客のオーダを引き当て、顧客が希望した仕様の製品として完成させるために、仕様に合わせた部品や作業を選択して生産する方式である。

b 生産座席予約方式は、設備の稼働状況を基に、顧客のオーダを到着順に生産する方式である。

c モジュール生産方式は、あらかじめモジュール部品を複数用意し、受注後にそれらの組み合わせによって多品種の最終製品を生産する方式で、リードタイムの短縮が期待できる。

d 製番管理方式は、製品の組立を開始する時点で部品を引き当てる方式で、ロット生産にも利用可能で、特にロットサイズが大きい場合に適している。

〔解答群〕

ア a：正　　b：正　　c：誤　　d：誤
イ a：正　　b：誤　　c：正　　d：正
ウ a：正　　b：誤　　c：正　　d：誤
エ a：誤　　b：正　　c：誤　　d：正
オ a：誤　　b：誤　　c：正　　d：正

a　正

　記載内容どおりである。

b　誤

　生産座席予約方式のJIS定義によると「受注時に、製造設備の使用日程・資材の使用予定などにオーダーを割り付け、**顧客が要求する納期どおりに生産する**方式 JIS Z 8141-3207」とあるため、後半の「到着順に生産する」が誤りである。

c　正

　記載内容どおりである。

d　誤

　製番管理方式のJIS定義から抜粋すると「個別生産のほか、**ロットサイズの小さい、つまり品種ごとの月間生産量が少ない場合のロット生産で用いられることが多い。**JIS Z 8141-3211」とあるため、後半の「ロットサイズが大きい場合に適している」が誤りである。

　よって、**ウ**が正解である。

 正解　ウ

 講師より

　本問では主要な生産方式が網羅的に問われています。このような過去問題を通じて、生産方式の名称と内容をセットで理解しているか確認しましょう。

重要度 Ⓑ VE

VEにおける製品の機能に関する以下の文章の空欄A～Dに入る用語の組み合わせとして、最も適切なものを下記の解答群から選べ。

VEでは機能を、性質、重要度、必要性など使用者の視点から分類している。機能の性質から見ると、製品やサービスの使用目的に関わる A 機能と、製品の形や色彩、つまりデザイン的な特徴からくる B 機能に分類される。機能の重要度から見ると、果たすべき複数の機能のうち最も目的的な C 機能と、 C 機能を達成するための手段的かつ補助的な D 機能に分類される。機能の必要性から見ると、使用者や顧客が必要とする必要機能と、使用者や顧客が必要としない不必要機能に分類される。

〔解答群〕

ア A：基本 B：二次 C：使用 D：魅力(貴重)

イ A：基本 B：二次 C：魅力(貴重) D：使用

ウ A：使用 B：二次 C：基本 D：魅力(貴重)

エ A：使用 B：魅力(貴重) C：基本 D：二次

オ A：魅力(貴重) B：使用 C：基本 D：二次

VEにおいては、製品の機能を下記のように分類する。

空欄A

「**使用**」機能である。使用機能とは、その製品やサービスを使用するために備えていなければならない機能のことである。たとえば、穴あけパンチなら「穴を打ち抜く」にあたる。

空欄B

「**魅力（貴重）**」機能である。魅力（貴重）機能とは、製品の意匠（デザイン）や外観など、使用者に魅力を感じさせる機能のことである。

空欄C

「**基本**」機能である。基本機能とは、これを欠くとそのものの存在価値がなくなる機能のことである。たとえば、時計なら「時刻を表示する」にあたる。

空欄D

「**二次**」機能である。二次機能を補助機能ということもある。たとえば、穴あけパンチなら「カスの飛散を防ぐ」にあたる。なお、基本機能を一次機能ということもある。

正 解　エ

講師より

　VEの機能分類は頻出論点で、本問は典型的な出題パターンです。本解説にある図表をしっかりと覚えて冷静に検討すれば、正答することは決して難しくない形式で出題されることが多いです。

重要度 **Ⓑ** ディスパッチングルール   H30-4

ある職場では3種類の製品A、B、Cを製造している。この職場の作業条件は以下に示すとおりである。

〈作業条件〉
- ・各製品は第1工程と第2工程で同じ順序で加工される。
- ・各工程では一度加工が始まったら、その製品が完成するまで同じ製品を加工する。
- ・工程間の運搬時間は0とする。
- ・各製品の各工程における作業時間と納期は下表に示される。

製品	A	B	C
第1工程	4	1	3
第2工程	5	6	3
納期	17	11	10

また、第1工程において製品をA、B、Cの順に投入した場合のガントチャートは下図のように示され、総所要時間は18時間となる。

	0　2　4　6　8　10　12　14　16　18
第1工程	A　B　C
第2工程	A　B　C

この職場に製品がA、C、Bの順で到着した場合の、第1工程における投入順序決定に関する記述として、最も適切なものはどれか。

ア 3つの製品をSPT順に投入すると、総所要時間は15時間である。

イ 3つの製品を到着順に投入すると、総所要時間は14時間である。

ウ 3つの製品を到着順に投入すると、納期遅れはなくなる。

エ 3つの製品を納期順に投入すると、納期遅れはなくなる。

解説

ア ○

SPT（Shortest Processing Time）順とは、作業時間が短いジョブから順に作業を行うルールを指している。設問内に「第1工程における投入順序決定に関する記述」とあるので、第1工程の作業時間が短い順にB→C→Aと投入順序を決定すると、以下のガントチャートが得られる。ここから、総所要時間は15時間であることがわかる。

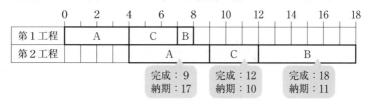

イ ✕

製品の到着順にA→C→Bと投入順序を決定すると、以下のガントチャートが得られる。ここから、総所要時間は18時間であることがわかる。なお、製品BとCに関しては、いずれも納期に遅れることになる。

	0	2	4	6	8	10	12	14	16	18
第1工程		A		C	B					
第2工程				A		C		B		

完成：9　納期：17
完成：12　納期：10
完成：18　納期：11

ウ ✕

選択肢**イ**の解説のとおり、製品BとCに納期遅れが発生する。

エ ✕

納期順とは、納期が早い順に作業を行うルールを指している。納期順に3つの製品を投入するとC→B→Aの順となり、以下のガントチャートが得られ、ここから製品Bが納期遅れとなることがわかる。

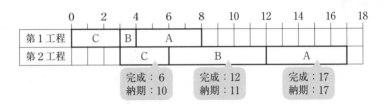

	0	2	4	6	8	10	12	14	16	18
第1工程	C	B	A							
第2工程			C		B		A			

完成：6
納期：10

完成：12
納期：11

完成：17
納期：17

正解　ア

MEMO

重要度 **B** ジョンソン法　　　　　　　　R4-8

　製品A〜Dの2つの工程の加工時間が下表のように与えられたとき、2工程のフローショップにおける製品の投入順序を検討する。

　生産を開始して全ての製品の加工を完了するまでの時間（メイクスパン）を最小にする順序で投入した場合、メイクスパンに含まれる第1工程と第2工程の非稼働時間の合計値として、最も適切なものを下記の解答群から選べ。

	第1工程	第2工程
製品A	1	4
製品B	5	2
製品C	5	6
製品D	6	4

〔解答群〕
　ア　2
　イ　3
　ウ　4
　エ　5
　オ　6

解 説

　ジョンソン法に関する出題として、処理自体はとくに難しいところはない。しかし、問われている「非稼働時間」の解釈に注意する必要がある。

　まず、4つの製品の総処理時間が最小になるように着手する順番を決定し、設問にあるとおり「全ての製品の加工を完了」した時点までの、第1工程と第2工程の非稼働時間の合計値を求める。算出手順は以下のとおりである。

① 　すべての処理時間の中から、最小のジョブを選ぶ。このとき製品Aの第1工程のジョブ（所要時間1）が選択される。最小値が前工程である第1工程にあるので、製品Aを着手順の先頭とする。

② 　次に処理時間が小さいジョブを選ぶ。このとき製品Bの第2工程のジョブ（所要時間2）が選択される。後工程である第2工程にあるので、製品Bを着手順の最後尾とする。

③ 　その次の最小処理時間のジョブを選ぶ。このとき製品Dの第2工程のジョブ（所要時間4）となるので、製品Dは着手順の最後尾から2番目とする。

④ 　したがって、自動的に、製品Cは着手順の先頭から2番目となる。

　以上を下図のように並べると、製品A→C→D→Bの順番になり、**全ての製品の加工を完了した時点までの、第1工程と第2工程の非稼働時間の合計は、5となる。**

	0				5				10				15				20
第1工程	A		C			D				B			②					
第2工程	①	A		①			C				D		①		B			

正 解　エ

講師より

　相当な数の受験生が、第1工程の末尾を「非稼働時間」と捉えられず、不正解となった問題でした。一見簡単そうに見える問題も、処理に時間がかかる（＝費用対効果が低い）ものは、やはり後回しにして、時間が余っていたら落ち着いて対応したいですね。なお、「メイクスパン」という見慣れない用語に驚いてしまった受験生も多かったようですが、実は非常にオーセンティックな問題でした。

重要度 **Ⓐ** PERT　　　　R3-10

　あるジョブは7つの作業工程A～Gで構成されている。各作業工程の作業時間と作業工程間の先行関係が下表に示されるとき、このジョブの最短完了時間の値として最も適切なものを下記の解答群から選べ。

作業工程	作業時間	先行作業
A	6	
B	5	
C	2	A
D	3	A，B
E	1	C
F	3	D
G	2	E，F

〔解答群〕

　ア　11

　イ　13

　ウ　14

　エ　22

　設問で与えられたジョブ条件をもとにアローダイヤグラムを作成すると、次のとおりとなる。

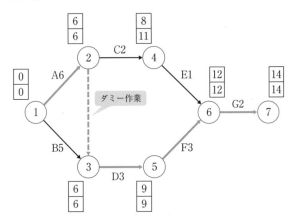

　本問では、とくにダミー作業の理解が問われている。

　作業工程Dの先行作業はAとBの2つがあるが、Aは作業工程Cの先行作業でもある。このような場合は、上図のようにダミー作業で分割する必要がある。

　なお、本問には直接関係しないが、上図の赤色になっている作業工程（最早結合点時刻と最遅結合点時刻が同じノードをつないでいる線）が、クリティカルパスである。

　よって、最短完了時間は14である。

正解　ウ

　アローダイヤグラムの考え方として、おもに次の2点に注意しましょう。
① あるノード（結合点）に複数の先行作業がある場合には、それらがすべて完了してから、次の作業が開始されること。
② 同じノード間に複数の作業がある場合には、作業時間ゼロのダミー作業を用いること。

重要度 **A** 需要予測

R3-8

　需要量の時系列データを用いる需要予測法に関する記述として、最も適切なものはどれか。

ア　移動平均法の予測精度は、個々の予測値の計算に用いるデータ数に依存しない。

イ　移動平均法では、期が進むにつれて個々の予測値の計算に用いるデータ数が増加する。

ウ　指数平滑法では、過去の需要量にさかのぼるにつれて重みが指数的に減少する。

エ　指数平滑法では、過去の予測誤差とは独立に将来の需要量が予測される。

ア ✖

　移動平均法の予測精度は、データ数に依存する。 そのため、たとえば需要が比較的安定している製品の需要予測をする場合に、直近３か月分などの少ないデータ数で計算すると、例外的な変動の影響が大きく反映されるおそれがある。

イ ✖

　たとえば、直近３か月分のデータを用いて計算する場合、４月の予測は１月から３月の実績データを、５月の予測は２月から４月の実績データを用いる。このように用いるデータが移動するため、**データ数が増えるわけではない。**

ウ ⭕

　選択肢の記載内容どおりである。

エ ✖

　指数平滑法では、以下の算出式からもわかるとおり、過去の予測誤差を将来の需要量予測に反映させる。

過去の予測誤差

当期予測値＝前期予測値＋α（**前期実績値－前期予測値**）
α：平滑化定数（$0 < \alpha < 1$）

正解　ウ

講師より

　そもそも指数平滑法における平滑化定数とは、予測誤差の影響を見積もり、次期の需要予測を修正するために設定する定数です。**αが１に近づくほど予測誤差の影響を大きく見積もり、逆に、０に近づくほど予測誤差の影響を小さく見積もる**ことになります。

重要度 **B** # 流動数分析

　ある倉庫では、ある製品の入出庫管理が先入先出法で行われている。その製品の在庫状況を把握するために行った流動数分析の結果を下図に示す。この図から読み取ることができる記述として、最も適切なものを下記の解答群から選べ。

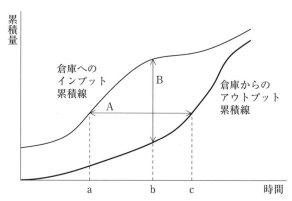

〔解答群〕

ア　Aが示す区間の値は、時点aにおける在庫量が倉庫に補充されるまでの期間である。

イ　Aが示す区間の値は、時点aに入庫した製品の倉庫における滞留期間である。

ウ　Bが示す区間の値は、時点bにおいて製品が倉庫に補充された量である。

エ　Bが示す区間の値は、時点bにおける製品が倉庫から出荷された量である。

オ　インプット累積線とアウトプット累積線における水平方向の間隔が広いほど、倉庫内の在庫が多い。

解 説

ア ✕

　時点aに入庫した製品の（時点cにおいて出荷されるまでの）**倉庫における滞留期間である。**

イ 〇

　選択肢の記載内容どおりである。

ウ ✕

　時点bにおける倉庫の在庫量である。

エ ✕

　選択肢**ウ**の解説内容どおりである。

オ ✕

　倉庫内の在庫が多いことではなく、**入庫から出荷されるまでの在庫の滞留期間が長いことを示す。**この期間を見ることで進度管理ができる。

 イ

流動数分析に関する基本的な知識を、本問を通じて確認しておきましょう。

重要度 Ⓐ **ストラクチャ型部品構成表**　　R3-9

　最終製品Ｚの部品構成表が下図に与えられている。（　）内の数は親１個に対して必要な子部品の個数を示している。製品Ｚを10個生産するのに必要な部品Ａの数量の範囲として、最も適切なものを下記の解答群から選べ。

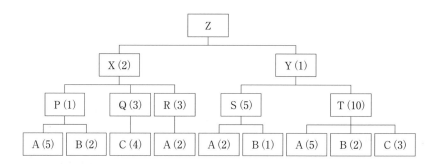

〔解答群〕

ア　100未満

イ　100以上200未満

ウ　200以上800未満

エ　800以上

解説

まず製品Zを1個生産するために、部品Aの必要数量を求める。

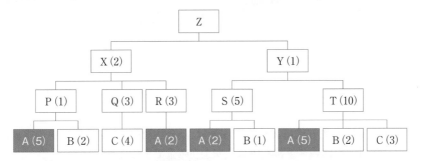

上図において最も左にある部品Aの必要数量は、Z1個に対しX2個→P1個→A5個と上から順に乗算して求める。これを最下位に記載されている4つの部品Aすべてについて繰り返すと、下式のとおりとなる。

$(2 \times 1 \times 5) + (2 \times 3 \times 2) + (1 \times 5 \times 2) + (1 \times 10 \times 5) = 82$

したがって、Z1個を生産するために必要な部品Aは82個である。

ここで、設問は「製品Zを10個生産するのに必要な部品Aの数量の範囲」を求めているので、10を乗算する。

$82 \times 10 = 820$

したがって、製品Zを10個生産するのに必要な部品Aの数量の範囲は、**800以上**である。

 工

講師より

　設問をよく読むこと！　まず部品Aを漏らさず特定し、さらに最終製品を何個生産することを求められているのかを確認しよう。部品のピックアップが漏れたり、最終製品1個あたりと思い込んだりといった単純ミスが散見されます。

重要度 **Ⓐ** **資材の発注**

H30-13

資材の発注に関する記述として、最も適切なものはどれか。

ア MRPでは、発注量と発注時期を生産計画と独立に決定できる。

イ 定期発注方式における発注量は、（発注間隔+調達期間）中の需要推定量－発注残－手持在庫量－安全在庫量で求められる。

ウ 発注間隔を長くすることにより、きめの細かい在庫管理ができ在庫量が減少する。

エ 発注点は、調達期間中の払出量の大きさと不確実性を考慮して決定される。

ア ✕

MRP（Material Requirement Planning：資材所要量計画）とは、最終製品が必要とする構成部品の必要量を決めることをいう。**生産計画をもとに、発注量と発注時期を決定する**ため、独立して決定することはできない。

イ ✕

定期発注方式における発注量の算出式は、以下のとおりである。

発注量＝在庫調整期間中の需要推定量－発注残－手持在庫量**＋安全在庫**

したがって、安全在庫の符号は－でなく＋が正しい。なお在庫調整期間は、選択肢にあるとおり「発注間隔＋調達期間」で求められる。

ウ ✕

きめの細かい在庫管理や在庫量の減少を図る場合、**発注間隔は短くするほうがよい**。発注間隔を長くすると、一度に発注する量を多くすることになり、過剰在庫となる可能性が高まる。

エ ◯

発注点方式における発注点の算出式は、以下のとおりである。

発注点＝調達期間中の需要推定量＋安全在庫

選択肢の「調達期間中の払出量の大きさ」が算出式の「調達期間中の需要推定量」にあたり、「不確実性」が「安全在庫」にあたる。

 正解 **エ**

👨‍🏫 講師より

　MRPは、基準生産計画からの一連の流れで理解するとよいでしょう。また、各種の発注方式は、方式ごとのメリット・デメリットや、発注点や発注量の算出式を押さえることが解答の鍵となります。

重要度 Ⓐ **経済的発注量**

経済的発注量Qを表す数式として、最も適切なものはどれか。ただし、dを1期当たりの推定所要量、cを1回当たりの発注費、hを1個1期当たりの保管費とする。

ア $Q = \sqrt{\dfrac{2dh}{c}}$

イ $Q = \sqrt{2dch}$

ウ $Q = \sqrt{\dfrac{2ch}{d}}$

エ $Q = \sqrt{\dfrac{2dc}{h}}$

　経済的発注量（EOQ：Economic Order Quantity）とは、在庫に関連する総費用を最小にする発注量を指す。在庫に関連する総費用を「在庫費用」と「発注費用」と考えたとき、1回あたりの発注量を増やすと発注処理の減少で「発注費用」が抑制できるが、在庫が増加するため「在庫費用」が増大する。反対に、1回あたりの発注量を減らすと、その逆の現象が発生する。このトレードオフの関係をふまえ、「在庫費用」と「発注費用」の関係をグラフ化すると下図のようになる。

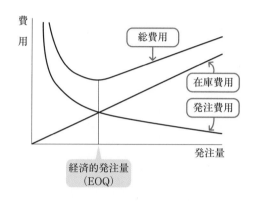

　この図から、経済的発注量（EOQ）は、在庫費用線と発注費用線の交点であることが確認できる。

　設問に与えられた凡例をもとに、在庫費用と発注費用は以下の式で表すことができる。

在庫費用＝一定期間内の平均在庫量×1個1期あたりの保管費

$$=\frac{Q}{2}\times h$$

　Q：1回あたりの発注量
　h：1個1期あたりの保管費

発注費用＝1回あたりの発注費×一定期間内の発注回数

$$= c \times \frac{d}{Q}$$

c：1回あたりの発注費

d：1期あたりの推定所要量

経済的発注量（EOQ）は、在庫費用線と発注費用線の交点で求められるため、以下の式で表すことができる。

在庫費用＝発注費用

$$\frac{Q}{2} \times h = c \times \frac{d}{Q}$$

より

$$Q = \sqrt{\frac{2dc}{h}}$$

 正解　エ

 講師より

　経済的発注量（EOQ）を表す数式は過去に何度も問われていますが、その要素を表す凡例がしばしば変わります。たとえば、本問では「1期あたりの推定所要量」がdとされていますが、Rとされることもあります。したがって、数式を丸暗記するのでは対応できず、数式の内容が何を表しているのか理解することが必要となります。

MEMO

重要度 **Ⓐ** 発注方式

R4-10

発注方式における発注点あるいは発注量の決定に関する記述として、最も適切なものはどれか。

ア 安全在庫は欠品を起こさないために決めるものであるが、保有在庫は安全在庫として決めた量を下回ることがある。

イ 経済的発注量は、累積入荷数量と累積出荷数量に基づいて決まる。

ウ ダブルビン方式の発注量は、納入リードタイムを考慮して、その都度、決める。

エ 内示とは、発注後に納入日を提示することである。

オ 発注点とは、発注をする時点を示し、通常、日付のことである。

ア　○

　想定以上に需要が増加した場合などに対応するために安全在庫がある。その場合には、**保有在庫は安全在庫として決めた量を下回ることがある。**

イ　✕

　累積入荷数量や累積出荷数量は、経済的発注量の決定に関係するとはいえない。定量発注方式における経済的発注量（EOQ：Economic Order Quantity）は、以下の算出式によって求められる。

$$EOQ = \sqrt{\frac{2 \times 1回あたりの発注費用 \times 年間需要量}{在庫品の単価 \times 在庫費用率}}$$

ウ　✕

　ダブルビン方式の発注量は、納入リードタイムを考慮する必要も、その都度決める必要もない。2つ（ダブル）の容器（ビン）のうち片方が空になったら、1つのビンの容量を発注する方式である。つまり**発注量は容器ひとつ分に固定されている。**

エ　✕

　JIS Z 8141-7212備考2によると、内示（内示発注）とは「発注先に**事前に予約的に注文品目、量の概算を知らせること**」をいう。

オ　✕

　JIS Z 8141-7314によると、発注点とは「発注点方式において、**発注を促す在庫水準**」をいう。

 ア

　発注方式は、毎年出題される超重要論点です。また出題された場合、本問のようにあまり難度の高くない設問になることも多く、確実に得点したいです。まずは定量発注方式と定期発注方式の特徴を押さえ、そのうえでダブルビン方式など他の発注方式も理解しましょう。

　なお講義では、ダブルビン方式を解説する際に「飲み会でビールジョッキを2つ抱えて飲んでいる人」を例に出します。ジョッキが1杯空になると、途端に「おかわり！」。すると、もう1杯のビールを飲んでいる間におかわりが到着し、途切れなく飲めるというわけです。中小企業診断士たちの飲み会ではこのように「俺はダブルビン方式で飲む！」と楽しんでいる人々をよく見かけます（笑）。ぜひ、合格後に確かめてください！

MEMO

重要度 Ⓐ **在庫管理**

　最寄品を主に取り扱う小売店舗における在庫管理に関する記述として、最も適切なものはどれか。

ア　ある商品の最大在庫量を2倍にした場合、販売量を一定とすると、安全在庫量も2倍必要になる。

イ　前日の販売量を発注量として毎日発注する商品の販売量が減少した場合、当該商品の在庫量は減少する。

ウ　定期発注方式を採用した場合、販売量を一定とすると、1回当たりの発注量は発注間隔を短くするほど少なくなる。

エ　定量発注方式を採用した場合、適正な在庫量を表す理論在庫は安全在庫に一致する。

オ　定量発注方式を採用した場合、販売量の減少が続くときに発注点を変更しなければ、発注間隔は短くなる。

　設問のリード文に「最寄品」とあり、おもに回転率の高い商品を取り扱う小売店舗であることが前提となっている。

ア ✕

　安全在庫とは、事前に予測することが困難な在庫消費量の変更に備え、多めに保有する在庫のことである。安全在庫の量は、次のように求める。

　　安全在庫＝$k \times \sqrt{L} \times a$

　　k：品切れ許容率によって決まる係数（安全係数）

　　L：調達リードタイム

　　a：単位期間の需要量の標準偏差

　したがって、販売量（すなわち需要量）が一定ならば、**安全在庫量は変化しない。**

イ ✕

　下表の例のとおり、販売量が減少すると、相対的に多かった前日の販売量と同じ量の追加在庫を捌くことができず、**在庫量は増加する。**

	1日目	2日目	3日目
発注量	10個	10個	6個
販売量	10個	6個	3個
在庫量	0個	4個（＝0＋10−6）	7個（＝4＋6−3）

在庫量が増加する

ウ ◯

　定期発注方式の発注量は、下記の式で求められる。

　　発注量＝在庫調整期間における予想消費量

　　　　　−（現在の在庫量＋発注残）＋安全在庫

　なお、在庫調整期間＝発注間隔（＝発注と次の発注の間）＋調達リードタイム（＝発注してから納入されるまでの間）

　したがって、販売量が一定であれば、発注間隔を短くするほど在庫調整期間が短くなり予想消費量が減るので、1回あたりの発注量は少なくなる。

エ ✕

適正な在庫量を表す理論在庫は、**安全在庫にサイクル在庫を加えた量で**ある。なお、サイクル在庫とは、発注してから次に発注するまでに消費される在庫量の半分の在庫である。

オ ✖

販売量の減少が続いているということは、発注点まで在庫量が減少する速度が遅くなるため、発注間隔は**長くなる**。

 ウ

 講師より

　定期発注方式、定量発注方式に関して理解度を確認できる良問です。発注点や安全在庫など、必要な知識を総復習しましょう。

MEMO

重要度 **B** 内外製区分

内外作区分に関連する記述として、<u>最も不適切なもの</u>はどれか。

ア 一過性の需要に対応するためには、生産設備を増強して、内作で対応することが好ましい。

イ 自社が特殊な技術を持っており、その優位性を維持するためには、該当する部品を継続的に内作することが好ましい。

ウ 特許技術のような特に優れた技術を他社が持っている場合には、外作することが好ましい。

エ 秘密性や重要性が低い部品で、自社において稼働率が低く、コストが引き合わないときには外作することが好ましい。

ア ✕

　一過性の需要に対応して生産設備を増強すると、その需要が減退した際に生産設備が遊休化してしまい、投資資金の回収が難しくなる。このため、一過性の需要には、**外注で対応**することが望ましい。

イ ◯

　他社と比して優位性をもつ特殊技術を用いた部品の生産は、技術漏洩のほか、技術や優位性のさらなる強化といった観点から、内作とすることが望ましい。

ウ ◯

　自社が保有する技術より優れた技術を他社が保有している場合には、外作によってその優位性を活用することが望ましい。

エ ◯

　秘密性や重要性が低く、かつ自社で生産した場合の稼働率が低く、コスト面で割に合わない部品であれば、コスト改善にもつながる外作を選択することが望ましい。

 ア

 講師より

　内外作を決定するポイントとして、自社（他社）で生産するほうが品質・価格・数量・納期面で有利か、自社に生産設備や既存設備の稼働余力があるか、自社にない専門技術を要するか、生産することによるリスクの程度等はどうかを考慮します。

　ある機械加工職場における生産リードタイムの短縮を目指した改善活動に関する記述として、<u>最も不適切なもの</u>はどれか。

ア　処理を開始してすべての処理を完了するまでの総所要時間を短くするために、ディスパッチングルールを変更した。

イ　流れ線図を作成し、「設備間の距離×物流量の総和」を計算してレイアウトを変更した。

ウ　納期管理を徹底するために、PERTを使ってロットサイズを変更した。

エ　マンマシンチャートを作成し、作業者の作業手順を変更した。

ア ○

　ディスパッチングルールは、「待ちジョブの中から、次に優先して加工するジョブを決めるための規則（JIS Z 8141-3314）」と定義されている。優先度により作業順を決定することで、すべてのジョブの処理を行う総所要時間を短縮することができる。

イ ○

　流れ線図とは、設備や建屋の配置図に工程図記号を記入したものであり、各工程図記号の位置関係を把握することができる。また、工程図記号間の位置関係を把握することで、設備間の運搬距離と物流量を分析し、効率的なレイアウトの検討を行うことにより、生産リードタイムの短縮が可能である。

ウ ✗

　PERTとは、順序関係が存在する複数のアクティビティ（作業）で構成されるプロジェクトを、効率よく実行するためのスケジューリング手法である。クリティカルパスメソッドにより、プロジェクト全体の最大期間短縮を最小の投下費用で実現することができるが、**ロットサイズの変更に直接的には関係しない。**

エ ○

　マンマシンチャートとは、人と機械の作業がどのように関連しているかを時間的な経過の面から分析するもので、IEの連合作業分析に用いられるツールのひとつである。マンマシンチャートにより、人や機械の手待ちや停止などの非稼動を把握することができる。

正解　ウ

講師より

　生産リードタイムの短縮を目指した改善活動について、広範な知識を横断的に問う問題です。本問を活用して理解を深めましょう。

重要度 **Ⓐ** 基本図記号　R2-7

　ある製品の生産の流れは、部品倉庫に保管された部品が第1工程に運ばれて切削をされ、その後、第2工程に運ばれて穴あけをされ、製品倉庫に運ばれる。各工程の後では、質の検査が行われる。

　この生産の流れに対して製品工程分析を行った場合の工程図として、最も適切なものはどれか。

ア　　　イ　　　ウ　　　エ

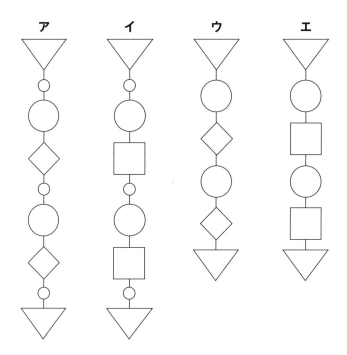

解説

工程分析に用いられる基本図記号についての設問である。

要素工程	記号の名称	記号	意味
加工	加工	◯	原料、材料、部品または製品の、**形状や性質**に変化を与える過程を表す。
運搬	運搬	◯	原料、材料、部品または製品の、**位置**に変化を与える過程を表す。
停滞	貯蔵	▽	原料、材料、部品または製品を、**計画により貯えている**過程を表す。
	滞留	D	原料、材料、部品または製品が、**計画に反して滞っている**状態を表す。
検査	数量検査	□	原料、材料、部品または製品の、**量または個数を測って**、その結果を基準と比較して差異を知る過程を表す。
	品質検査	◇	原料、材料、部品または製品の、**品質特性を試験し**、その結果を基準と比較してロットの合格、不合格または個品の良、不良を判定する過程を表す。

設問の内容を上図にあてはめると、下記のとおりに読み取ることができる。

①部品倉庫に保管する（＝貯蔵）→②第1工程に運ぶ（＝運搬）→③切削する（＝加工）→④工程後に質を検査する（＝品質検査）→⑤第2工程に運ぶ（＝運搬）→⑥穴あけする（＝加工）→⑦工程後に質を検査する（＝品質検査）→⑧製品倉庫に運ぶ（＝運搬）→⑨製品倉庫に保管する（＝貯蔵）

よって、上記の流れを表す、**ア**が正解である。

正解　ア

講師より

　混同しやすい、数量検査と品質検査の基本図記号を押さえているかが勝負のポイントです。基本図記号の理解を深めるのによい出題形式ですので、本問を通じて復習しましょう！

工場内でのマテリアルハンドリングに関する記述として、<u>最も不適切なもの</u>はどれか。

ア 運搬活性示数は、置かれている物品を運び出すために必要となる取り扱いの手間の数を示している。

イ 運搬管理の改善には、レイアウトの改善、運搬方法の改善、運搬制度の改善がある。

ウ 運搬工程分析では、モノの運搬活動を「移動」と「取り扱い」の2つの観点から分析する。

エ 平均活性示数は、停滞工程の活性示数の合計を停滞工程数で除した値として求められる。

解 説

ア ✕

　運搬活性示数は、置かれている物品を運び出すために必要となる取り扱いの手間の数のうち、**すでに省かれている手間の数**を示している。なお、「手間」とは、「まとめる」「起こす」「持ち上げる」「持っていく」の４つである。

イ 〇

　選択肢のとおり、運搬管理の改善には３つの方向性がある。「レイアウトの改善」により、運搬距離を短縮できることがある。また「運搬方法の改善」により、荷物の取り扱い等の作業が円滑になることがある。さらに、運搬専門の担当者を配置するなど、「運搬制度の改善」により作業効率化が図られることがある。

ウ 〇

　運搬工程分析では、工程分析の要素工程である「運搬」を、さらに「移動（＝物品の位置の変化)」と「取り扱い（＝物品の支持法の変化)」の２つの観点から分析する。

エ 〇

　したがって、平均活性示数の値が小さいほど、全体として物品を運び出すために必要となる取り扱いの手間がかかると解釈することができる。

 正 解 **ア**

講師より

　運搬活性示数に関する典型的な問題です。本問のように、運搬活性示数は０から４までの「５段階」であることや、「すでに省かれている手間」の数であることなどがよく問われます。

重要度 **B** 動作経済の原則　　　　　　　R元-21

　動作経済の原則に基づいて実施した改善に関する記述として、最も適切なものの組み合わせを下記の解答群から選べ。

a　機械が停止したことを知らせる回転灯を設置した。

b　径の異なる2つのナットを2種類のレンチで締めていたが、2種類の径に対応できるように工具を改良した。

c　2つの部品を同時に挿入できるように保持具を導入した。

d　プレス機の動作中に手が挟まれないようにセンサを取り付けた。

〔解答群〕
　ア　aとb
　イ　aとd
　ウ　bとc
　エ　bとd
　オ　cとd

動作経済の原則は、動作のあり方についての法則であり、この原則に則った仕事は、経済的であるといえる。一方、この原則に反した動作は、疲労を伴い、非能率で、効率が悪い。作業動作について改善を行う場合は、この原則に基づいて実施することが望ましい。

a ✖

この選択肢の内容は、トヨタ生産方式などに見られる「**あんどん**」を表している。生産ラインにおいて問題の発生を見える化（目で見る管理）し、不具合の後工程への流出を防ぐことに貢献する。作業者の身体的負担が軽減されるわけではない。

b 〇

動作経済の原則に基づいて実施した改善として正しい。この改善により、工具を持ち替える負担が軽減される。

c 〇

動作経済の原則に基づいて実施した改善として正しい。この改善により、挿入するために部品を保持する負担が軽減される。

d ✖

この選択肢の内容は、そもそも誤った操作ができないように構造や仕掛けを工夫することでミスの発生を防止する「**フールプルーフ**」を表している。作業者の身体的負担が軽減されるわけではない。

 正解　ウ

講師より

動作経済の原則は、「動作方法」「作業場の配置」「工具・設備の設計」の３つのカテゴリに分類されます。たくさんの原則が存在しますが、本問のような設問では、「作業者の負担を軽減できるか」という観点から正誤を検討しましょう。

重要度 **B**　連合作業分析　　　　　　　　H24-16

連合作業分析に関する記述として、最も適切なものはどれか。

ア　連合作業分析では、作業を単独作業、連合作業、連続作業の３つに分類して作業分析を実施する。

イ　連合作業分析では、作業を要素動作の単位に分割して分析を実施する。

ウ　連合作業分析は、配置人員を検討する際に利用できる。

エ　連合作業分析は、複数の素材を組み合わせて製品を製造するプロセスを分析するための手法である。

ア ✕

　連合作業分析では、作業の特性を明らかにするために、作業を

① 単独作業（他の作業主体と一緒に作業しない作業）

② 連合作業（他の作業主体と協同して行う作業）

③ **不稼動**（他の作業主体が作業している間の待っている状態）

の3つに分類する。本肢では、連続作業となっている点が誤りである。

イ ✕

　あらゆる作業に共通する要素動作の単位に分割して分析を行う方法は、連合作業分析ではなく、**サーブリッグ分析**（微動作分析）である。

ウ ○

　連合作業分析により、人や機械の手待ちロス、停止ロス（機械干渉）を明確にし、これらに対して改善の原則（ECRSの原則）などを適用することで、そのロスを減少させつつ、作業周期の時間短縮や人・機械の稼働率向上、機械持ち台数や配置人員の適正化を図ることができる。

エ ✕

　生産対象の物を中心に、原材料、部品などが製品化される過程を、調査・分析する手法は連合作業分析ではなく、**製品工程分析**である。

 ウ

📋 **講師より**

　本問では、方法研究の体系を、頭の中で整理できているかがチェックできます。方法研究は、まず工程系の工程分析、作業系の動作研究に分岐することを押さえましょう。工程系ではさらに「工程分析」と「運搬分析」に、作業系ではさらに「作業系列」と「動作研究」に分岐します。連合作業分析は、「作業系列」に属します。

重要度 Ⓐ **標準時間**

標準時間の算定に関する記述として、最も適切なものはどれか。

ア PTS法で標準時間を算定する際には、レイティングの操作をする必要がない。

イ 観測作業の速度が基準とする作業ペースより速いとき、レイティング係数の値は100より小さく設定される。

ウ 正味時間は、観測時間に余裕率を掛けることで算定される。

エ 標準時間は、正味時間と付帯作業時間から構成される。

ア ○

　PTS法とは、作業を微動作（サーブリッグ）レベルまで分解し、あらかじめ定めた微動作ごとの作業時間を積み上げ、標準時間を求める方法である。微動作レベルでは作業者の個人差がなく、一定の時間値が求められるという考え方に基づいているため、レイティングを必要としない。

イ ✕

　レイティング係数は、正常な作業者が正常な速度で行う基準とする作業ペースを100として、観測対象者のペースと比較した係数である。レイティング係数は以下の式で表すことができる。

$$レイティング係数＝\frac{基準とする作業ペース}{観測作業ペース}×100$$

このため、観測対象者のペースが速ければ、100より**大きく**設定される。

ウ ✕

　正味時間は観測時間にレイティング係数を掛けることで算定される。

正味時間＝観測時間の代表値×レイティング係数

エ ✕

　標準時間は、主体作業時間と準備段取作業時間に分類され、いずれの時間も正味時間と**余裕時間**から構成される。

　ア

講師より

　本問を通じて、ストップウォッチ法における標準時間設定の流れを理解できているかを確認しましょう。まず、観測時間の代表値に、レイティングで個人差の修正を行い、余裕時間を加えて標準時間を設定します。

重要度 Ⓐ **ストップウォッチ法**

R4-16

　あるプレス工程では、1人の作業者が以下のような手順①、②で作業を行っている。

手順①　作業aの後に作業bを行い、これを5回繰り返す。

　　　　作業a：材料置き場から鉄板を1枚取り出し、プレス機に投入して加工する。

　　　　作業b：加工が終わった鉄板を取り出し、加工済みの鉄板を入れるパレットに移す。

手順②　加工済みの鉄板5枚を入れたパレットを仮置き場に移し、手順①に戻る。

　この手順①、②を1サイクルとして、ストップウオッチを使って時間研究を実施した結果、1サイクルの正味作業の観測時間の平均値は90秒、レイティング係数は110であった。次に、この作業者についてワークサンプリングを実施し、延べ500回の計測の中で余裕に該当するサンプルの数が60観測された。

　この結果を用いて標準時間を求めたとき、この1サイクルの標準時間として、最も適切なものはどれか。

ア　90秒未満

イ　90秒以上95秒未満

ウ　95秒以上100秒未満

エ　100秒以上

以下３つの手順で標準時間を求める。

① 正味時間の算出

正味時間＝観測時間の代表値(本問では平均値)×レイティング係数÷100

$$=90 \times 110 \div 100$$
$$=99（秒）$$

② 余裕率の算出

余裕率（内掛け法）＝余裕のサンプル数÷全サンプル数

$$=60 \div 500$$
$$=12（\%）$$

③ 標準時間の算出

標準時間（内掛け法）＝正味時間÷（１－余裕率）

$$=99 \div（1 - 0.12）$$
$$=\mathbf{112.5（秒）}$$

 正解 エ

講師より

　問題文前半の作業手順に関する詳細な記載は、問われている標準時間を算出するために必要な情報ではありませんでした。理解するために使った時間がもったいない…。「時間がかかりそう…」と諦めてしまった受験生も多かったようです。「問われていることは何か」「問いに答えるために必要な材料は何か」を最初に確認できたか、振り返る機会にしてください。

重要度 Ⓐ QC7つ道具

QC7つ道具に関する記述として、最も適切なものはどれか。

ア 管理図は、2つの対になったデータをXY軸上に表した図である。

イ 特性要因図は、原因と結果の関係を魚の骨のように表した図である。

ウ パレート図は、不適合の原因を発生件数の昇順に並べた図である。

エ ヒストグラムは、時系列データを折れ線グラフで表した図である。

解 説

ア ✕

この選択肢の内容は、「**散布図**」を表している。散布図は、２つの対になったデータの相関性を視覚化することができる。下図は、強い正の相関関係のある場合の、散布図の例である。

イ ○

選択肢の内容のとおりである。特性要因図は、矢印の先に結果を記入して、さまざまな原因が、結果に対してどのような因果関係になっているのかを視覚的に整理する手法である。

ウ ✕

パレート図は、項目別に層別して、出現頻度の大きさの順に棒グラフで並べ、累積比率を折れ線グラフで示した図である。したがって**昇順ではなく降順が正しい**。これにより問題の大きさが可視化され、最も重要な問題点に的を絞って問題解決にあたることが可能となる。下図の場合、累積比率で過半数を占める事象Aの解決を最優先に考えることが必然となる。

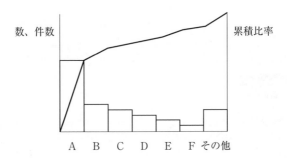

エ ✗

　この選択肢の内容は、「**管理図**」を表している。連続したデータを時系列で並べ、データが管理限界内に入っているかどうかなどによって、異常の有無や傾向を監視し、必要に応じて対処する。限界線に近づきつつある場合は、限界線を越える前に対策を講ずる。

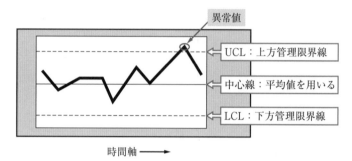

時間軸 ➡

👨‍🏫 **講師より**

　QC7つ道具は名称と内容をセットで覚えましょう。本問は7つ道具の内容を横断的に問う、典型的な出題パターンです。個別の道具について深く問われる際には、特に管理図が最もよく出題されます。管理図には「計量値データ」の管理図（x̄-R管理図など）と、「計数値データ」の管理図（p管理図やnp管理図など）があることを覚えておきましょう。

MEMO

重要度 **B** 管理図　　　　　　　　　　　　　　　　H24-12

管理図の用途に関する記述として、最も不適切なものはどれか。

ア 観測値を用いて工程を管理状態に保持するために、解析用管理図を用いる。

イ 群の大きさに対する不適合品数の割合を用いて工程を評価するために、p管理図を用いる。

ウ 群の標準偏差を用いて工程の分散を評価するために、s管理図を用いる。

エ サンプルの個々の観測値を用いて工程を評価するために、X管理図を用いる。

ア ✗

選択肢の内容は、「管理用管理図」を指している。解析用管理図は、工程の状態が把握できていない場合、それを調整するために用いる管理図である。

イ ○

p管理図は、不連続な計数値データを扱い、選択肢にある「群の大きさに対する不適合品数の割合」、すなわち不良率を管理する。

ウ ○

s管理図は、連続的な計量値データを扱い、群の標準偏差（standard deviation）で工程の分散を評価する。

エ ○

X管理図は、連続的な計量値データを扱い、サンプル個々の観測値を用いて工程を評価する。

 正解 ア

講師より

QC7つ道具の中でも、やや詳細な内容を問われることのある管理図について、余裕のある方はチェックしておきましょう。〇管理図の〇に入るアルファベットに内容を紐づけると、少し覚えやすくなります。

例：標準（standard）偏差で評価する"s"管理図

重要度 **A** 設備保全  R元-18

生産保全の観点から見た保全活動の実施に関する記述として、最も適切なものはどれか。

ア 偶発故障期にある設備の保全体制として、部品の寿命が来る前に部品を交換し、故障の未然防止を図る必要があるため、予知保全体制を確立することが重要である。

イ 初期故障期にある設備では、設計ミスや潜在的な欠陥による故障が発生する可能性が高く、調整・修復を目的とした予防保全を実施する。

ウ 設備の故障率は使用開始直後に徐々に増加し、ある期間が過ぎると一定となり、その後劣化の進行とともに故障率は減少する。

エ 定期保全とは、従来の故障記録などから周期を決めて周期ごとに行う保全方式で、初期故障期にある設備に対して実施される。

　生産保全とは「生産目的に合致した保全を経営的視点から実施する、設備の性能を最大に発揮するための最も経済的な保全方式（JIS Z 8141-6208）」と定義されている。以下に示す保全活動の分類や、バスタブ曲線に関する知識を確実に理解しておきたい。

【保全活動の分類】

　保全活動を分類すると、設計時の技術的性能を維持するための維持活動と、性能劣化を修復・改善する改善活動に大別される。なお「保全予防」のみ、生産設備導入の「前」に行う活動である点に注意したい。簡単にいうと、故障しにくい設備を設計する活動である。

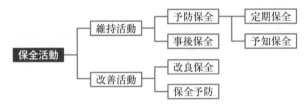

【バスタブ曲線】

　一般的な機械設備の故障発生と使用期間との関係を表す曲線で、寿命特性曲線や、故障率曲線ともよばれる。縦軸は故障率、横軸は使用期間であり、機械設備の導入初期（初期故障期）および一定期間を経過した機械設備（摩耗故障期）に故障が多く、中間の期間（偶発故障期）には故障が少ないことがわかる。

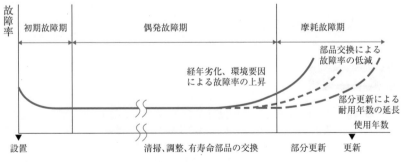

（出典：職場のあんぜんサイト　厚生労働省をもとに作成）

ア ✖

　この選択肢の内容は、**摩耗故障期**における保全体制の説明である。一般的に偶発故障期は部品の寿命よりも、操作ミスなど事故による偶発故障が多い。そのため発生時期を予測することが困難であり、**事後保全**などが基本となる。

イ ⭕

　初期故障期は、新設備の運転初期や旧設備の修理・改善直後に故障率が高まる時期である。原因として設計・製造による不具合などがあげられ、この時期に稼働状況を監視し、必要に応じて予防保全を行うことで、設備の故障率を抑制する。

ウ ✖

　バスタブ曲線で示されているとおり、設備の故障率は使用開始直後に徐々に**減少**し、ある期間が過ぎると一定となり、その後劣化の進行とともに故障率は**増加**する。

エ ✖

　初期故障期には、故障記録など保全すべき周期を決めるデータが不足している。したがって、定期保全ではなく、一般的には予知保全が実施される。なお、選択肢前半の記述内容（定期保全〜周期ごとに行う保全方式）は正しい。

正解　イ

🧑‍🏫 **講師より**

　設備保全の論点では「保全活動の分類」を自分で書けるくらい、体系的に整理して覚えましょう。設備の生産能力を新品のように「維持」する活動、より壊れにくく「改善」する活動、とまずは理解してください。また、バスタブ曲線については、5年に1度くらいですが出題されますので、併せて押さえておきたい論点です。

MEMO

重要度 **Ⓐ** 設備総合効率 R2-20

設備総合効率に関する記述として、最も適切なものはどれか。

ア 作業方法を変更して段取時間を短縮すると、性能稼働率が向上する。

イ 設備の立ち上げ時間を短縮すると、時間稼働率が低下する。

ウ チョコ停の総時間を削減すると、性能稼働率が向上する。

エ 不適合率を改善すると、性能稼働率が低下する。

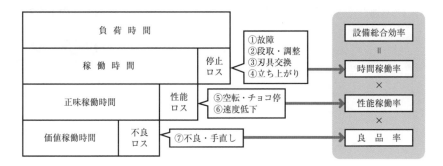

時間稼働率の計算

$$時間稼働率 = \frac{負荷時間 - 停止時間}{負荷時間} \times 100 （\%）$$

性能稼働率の計算

$$性能稼働率 = \frac{基準サイクルタイム \times 加工数量}{稼働時間} \times 100 （\%）$$

良品率の計算

$$良品率 = \frac{加工数量 - 不良数量}{加工数量} \times 100 （\%）$$

設備総合効率は、上図のとおり求められる。

設備総合効率＝時間稼働率×性能稼働率×良品率

ア ✕

段取時間を短縮すると、停止時間（停止ロス）が短縮されるので、**時間稼働率**が向上する。

イ ✕

設備の立ち上げ時間を短縮すると、停止時間（停止ロス）が短縮されるので、時間稼働率が**向上する**。

ウ ○

チョコ停とは、一時的なトラブルのために設備が停止することをいう。そのためチョコ停の総時間を削減すると、性能ロスが減り、性能稼働率が向上する。

89

エ　✖

　　不適合率を改善する、すなわち抑制すると、反対に**良品率が向上する**。

　ウ

　　設備総合効率の体系は、それを構成する内容を真に理解することが求められる出題が
続いています。本問のように何が改善すると、どの指標がどう変化するのかをシミュレ
ーションしてみると理解と記憶が進むでしょう。

MEMO

重要度 **B** 製造プロセスのデジタル化 H27-3

　製造プロセスのデジタル化に関する記述として、最も適切なものはどれか。

ア　CADを導入することで複数台のNC工作機がコンピュータで結ばれ、効率的な設備の運用が可能となった。

イ　CAEを導入することで樹脂や金属製の立体物が造形され、開発コストの低減と開発期間の短縮が可能となった。

ウ　CAMを導入することでCADと連携したマシニングセンタへの指示プログラムが作成され、熟練工の高度な加工技術を再現することが可能となった。

エ　3次元CADと3Dプリンタを連携させることで構造解析・流体解析等のシミュレーションがコンピュータ上で可能となり、開発コストの低減と開発期間の短縮につながった。

ア ✕

　CAD（Computer-Aided Design：コンピュータ支援設計）は、製品の形状設計におけるデジタル化の技術であり、本肢にあるような**生産工程におけるデジタル化とは直接関係しない**。生産工程におけるデジタル化の技術は、CAM（Computer-Aided Manufacturing：コンピュータ支援生産）である。

イ ✕

　本肢は、**3Dプリンタ**に関する記述である。3Dプリンタは、3次元CADやコンピュータグラフィックスのデータを利用して立体を造形する機器である。3Dプリンタの導入により、立体物の試作が短期間かつ低コストでできるようになり、開発コストの低減や開発期間の短縮が可能になった。

ウ 〇

　CAMは、製品の生産工程の設計におけるデジタル化の技術であり、CADと連携することで、設計情報と生産情報を統合し、熟練工の高度な加工技術を再現する指示プログラムの生成といったような、生産工程に必要な情報の効率的かつ正確な運用が可能になる。CADによる設計情報をCAMで活用することを、CAD/CAMとよぶこともある。

エ ✕

　本肢は、3次元CADと**CAE**（Computer-Aided Engineering：コンピュータ支援解析システム）の連携に関する記述である。本肢の記述を例にすれば、CAEにより、3次元CADによって作成された製品の形状設計の情報に基づいて、コンピュータ上で構造解析や流体解析のシミュレーションが可能となり、試作品作成のための費用や時間的コストの縮減につながる。

 正解　ウ

講師より

　CAD、CAM、CAEについては、名称と用途など基本的な知識について、しっかりと押さえておきましょう。詳細に知る必要はなく、用語が何を指すものなのかが理解できればよいです。

重要度 Ⓐ **まちづくり三法**  H30-21

　次の文章は、いわゆる「まちづくり三法」のねらいに関する記述である。空欄A～Cに入る語句として、最も適切なものの組み合わせを下記の解答群から選べ。

　中心市街地活性化法は、都市中心部の衰退化現象に歯止めをかけるべく、都市中心部に対して政策的に資源を集中しようとするものであり、従来の　A　政策の系譜の中での取り組みである。　B　ではゾーニング的手法によって商業施設の立地を計画的に誘導することが期待され、　C　では施設周辺の生活環境を保持する観点からチェックが行われる。

〔解答群〕

ア　A：競争　　B：大規模小売店舗立地法　　C：都市計画法

イ　A：競争　　B：都市計画法　　　　　　　C：大規模小売店舗立地法

ウ　A：振興　　B：大規模小売店舗立地法　　C：都市計画法

エ　A：振興　　B：都市計画法　　　　　　　C：大規模小売店舗立地法

　まちづくり三法は、大規模小売店舗立地法、中心市街地活性化法、都市計画法の3つの法律の総称である。

① 大規模小売店舗立地法

　大型店の開発・出店に際して、施設の配置や運営方法等について、その**周辺地域の生活環境の保持**という観点から、大規模小売店舗を設置する者に適正な配慮を求める法律。

② 中心市街地活性化法

　中心市街地を再生し、コンパクトなまちづくりを推進する市町村に対して、各支援措置等を与える法律。同法の条文には「**地域の振興**及び秩序ある整備を図り、国民生活の向上及び国民経済の健全な発展に寄与することを目的とする」と定められている。

③ 都市計画法

　13種類の用途地域が定められ、それぞれ建てることのできる**建物の用途が制限**（ゾーニング）されている。小売業を含む諸施設の立地コントロールを強化するための法律。

　よって、各空欄にはそれぞれA「振興」、B「都市計画法」、C「大規模小売店舗立地法」が入る。

 正解　エ

講師より

　ほぼ毎年、必ず出題されるのが「まちづくり三法」です。3つの法律がバラバラに出題されるのが一般的ですが、本問では全体像を概観することができます。今一度、復習しておきましょう。

大規模小売店舗立地法に関する記述として、最も適切なものはどれか。

ア この法律の主な目的は、大規模小売店舗における小売業の事業活動を
調整することにより、その周辺の中小小売業の事業活動の機会を適正に
確保することである。

イ この法律の施行に伴い、地域商業の活性化を図ることを目的として大
規模小売店舗法の規制が強化された。

ウ この法律の対象は、店舗面積が1,000㎡を超える小売業を営む店舗で
あり、飲食店業を営む店舗は含まれない。

エ この法律の役割は、商店街が地域コミュニティの担い手として行う地
域住民の生活の利便を高める試みを支援することである。

オ 大規模小売店舗を新設する場合、開店後１カ月以内に新設に関する届
出をしなければならない。

ア ✖

本肢から読み取れる「中小小売業者の保護」を目的としていたのは、大規模小売店舗立地法の旧法とされる大規模小売店舗法の内容である。大規模小売店舗立地法は、周辺地域の生活環境を守るために、大規模小売店舗に対して施設の配置や運営方法に対して適切な配慮を求めるものである。

イ ✖

大規模小売店舗立地法が施行された2000年（平成12年）6月1日の同日、大規模小売店舗法は**廃止された**。

ウ 〇

正しい。なお大規模小売店舗法では、届出の対象となる店舗の基準面積は「500㎡超」であったので、併せておさえておきたい。

エ ✖

本肢の内容は2009年（平成21年）8月1日に施行された「地域商店街活性化法」である。

オ ✖

大規模小売店舗立地法に基づく新設の届出期限は、店舗を新設する日（開店予定日）の**8ヵ月前まで**である。なお届出を行うのは建物設置者で、都道府県に提出する。

 正 解 ウ

講師より

　まちづくり三法が改正された背景や目的を理解したうえで、大規模小売店舗立地法の目的、対象店舗、調整項目、対象を整理して覚えると、解答の方向性を外しにくくなります。

重要度 Ⓐ 商圏分析

　A市とB市が、その中間にあるX町からどの程度の購買力を吸引するかを求めたい。下図の条件が与えられたとき、ライリーの法則を用いてA市とB市がX町から吸引する購買力の比率を求める場合、最も適切なものを下記の解答群から選べ。

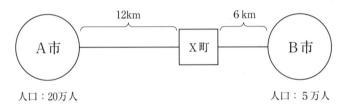

〔解答群〕

　ア　A市：B市 = 1：1
　イ　A市：B市 = 2：1
　ウ　A市：B市 = 1：2
　エ　A市：B市 = 8：1
　オ　A市：B市 = 1：8

　ライリーの法則は、２つの都市がその間にある都市から販売額（購買力）を吸引する割合は、その２つの都市の人口に比例し、距離の２乗に反比例するというものである。以下の式によって算出される。

　　Ba： A市に吸収される販売額の割合
　　Bb： B市に吸収される販売額の割合
　　Pa： A市の人口
　　Pb： B市の人口
　　Da： A市との距離
　　Db： B市との距離

BaのBbに対する割合（Ba／Bb）＝Pa／Pb×（Db／Da）^{2}

したがって今回のケースでは、
Ba／Bb＝20／5 ×（6／12）^{2}
　　　＝4／1×1／4
　　　＝1／1

　すなわち、A市とB市がX町から吸引する購買力の比率は、**１対１**である。

 正解　ア

講師より

　一時期は出題傾向として下火だった商圏分析ですが、令和に入ってから頻出となりました。ライリーの法則、ライリー＆コンバースの法則、コンバースの法則、ハフモデル…といろいろありますが、人口や店舗面積というポジティブ要因に比例し、距離というネガティブ要因に反比例する、という共通点を手がかりに理解していきましょう。

重要度 **Ⓑ** 陳列手法と特徴 R2-29

店舗における売場づくりに関して、以下に示す【陳列手法】と【陳列の特徴】の組み合わせとして、最も適切なものを下記の解答群から選べ。

【陳列手法】
① レジ前陳列
② ジャンブル陳列
③ フック陳列

【陳列の特徴】
a 商品を見やすく取りやすく陳列でき、在庫量が把握しやすい。
b 非計画購買を誘発しやすく、少額商品の販売に適している。
c 陳列が容易で、低価格のイメージを演出できる。

〔解答群〕
ア ①とa ②とb ③とc
イ ①とa ②とc ③とb
ウ ①とb ②とa ③とc
エ ①とb ②とc ③とa
オ ①とc ②とa ③とb

　各選択肢に登場した陳列手法の特徴は、以下のとおりである。

〈レジ前陳列〉

　　購買顧客が必ず通過するレジ前に陳列することから、目に触れやすく、ついで買いを誘発する効果がある。

〈ジャンブル陳列〉

　　カゴやワゴンに無造作に投げ込んでおくような、いわゆる「投げ込み陳列」のこと。陳列の手間がかからないうえ、低価格イメージを訴求できるため特売品の陳列に向いている。一方、高額商品には不向きな陳列手法である。

〈フック陳列〉

　　フックに引っかけて陳列する手法。コンビニエンスストアなどで見かけられるように、文房具など小型で軽量の商品に利用される。商品が見やすく、在庫量を把握しやすい。

ジャンブル陳列　　　　　　フック陳列

　a：フック陳列の特徴そのものである。

　b：「非計画購買を誘発しやすく」は、ついで買いしやすいことを意味する。

　c：ジャンブル陳列の特徴そのものである。

よって、**エ**が正解である。

 正解　　エ

講師より

　陳列手法は2～3年に1度くらい出題される定番の論点ですが、出題された場合はあまり難度が高くならないと思われます。日常の買い物などを通じて理解・記憶しやすく、範囲も広くありませんのでしっかりと対策しておきましょう。

重要度 **B**　# 売場づくり

　スーパーマーケットの売場づくりに関する記述として、最も適切なものはどれか。

ア　買上点数を増やすために、レジ前売場には単価が低い商品よりも高い商品を陳列する。

イ　買物客の売場回遊を促すために、衝動購買されやすい商品は売場に分散配置する。

ウ　商品棚前の通路幅を広くすると、当該商品棚のゴールデンゾーンの範囲が広がる。

エ　販売促進を行うエンドの販売力は、主通路に面するよりもレジ前の方が高い。

オ　複数の入り口からレジまでの客動線を一筆書きのようにコントロールすることをワンウェイコントロールという。

ア ✕

　レジ前売場には、レジ待ち中の客が思わず買ってしまうような手に取りやすい**単価の低い商品**を陳列するほうが、購買の意思決定に時間のかかる単価の高い商品を陳列するよりも、非計画購買を促す点で望ましいといえる。

イ ✕

　計画購買されやすい商品をマグネットとして売場に分散配置するほうが、買物客の売場回遊を促し客動線を長くする点で望ましいといえる。

ウ 〇

　選択肢の内容どおりである。反対に、身動きもとれないような狭い通路で目の前に棚があるような状況では、ゴールデンゾーン、つまり有効陳列範囲のうち最も顧客の手の届きやすい位置が極端に狭まるであろう。

エ ✕

　エンド陳列のメリットは、多くの買物客が通行し、顧客を引きつける効果が期待できることである。しかし、レジ前ではエンドに背を向ける状況になることが多いと想定され、**主通路よりも販売力が高いとはいえない**。

オ ✕

　ワンウェイコントロールとは、**1つの入り口**からレジまでの客動線を一筆書きのようにコントロールすることをいう。

 正解 ウ

講師より

　正誤判断に迷ったら「客単価を向上させるためになるか」を軸に検討しましょう。店をできるだけ長く回遊してもらい、さまざまな商品の前で立ち止まったり手に取ったりして、より多くの商品を買物かごに入れてもらうことにつながるか、リアルに想像しましょう。

重要度 **B** 照明

R3-26

　照明に関する以下の文章において、空欄A〜Cに入る語句の組み合わせとして、最も適切なものを下記の解答群から選べ。

　自然光や人工照明で照らされた場所の明るさを　A　という。JISでは、スーパーマーケットにおける店内全般の維持　A　の推奨値は　B　ルクスである。また、光で照明された物体の色の見え方を　C　という。

〔解答群〕

ア　A：光度　　　B：500　　　C：演色

イ　A：光度　　　B：2,000　　C：演色

ウ　A：光度　　　B：2,000　　C：光色

エ　A：照度　　　B：500　　　C：演色

オ　A：照度　　　B：2,000　　C：光色

解説

〈照明用語のイメージ〉

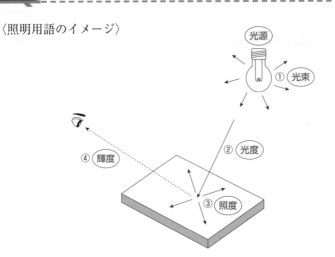

空欄A

正解は「照度」である。照度は、光を受ける面の明るさのことをいう。単位はルクス（lx）で表す。

空欄B

正解は「500」である。JISの「照明基準総則（JIS Z 9110：2010）」によると、スーパーマーケットにおける店内全般の維持照度として500ルクスが推奨されている。

空欄C

正解は「演色」である。演色とは、光源に照らされたものの色の見え方である。またそれを数値化して評価できるようにした指標に、平均演色評価数（アールエイ：Ra）がある。

正解 エ

講師より

　できれば上図にある用語と単位だけでもおさえておきましょう！久しぶりの出題だったので、ここまでおさえられていない受験生も多かったようですが、貴重な出題例として、ピックアップしておきます。

重要度 **C** 在庫高予算　　　H23-29

　ある小売店では、当月売上高予算250万円、年間売上高予算2,400万円、年間予定商品回転率が6回転である。この場合に、基準在庫法によって月初適正在庫高を算出するといくらになるか。最も適切なものを選べ。

ア 400万円

イ 450万円

ウ 500万円

エ 600万円

オ 650万円

基準在庫法による月初適正在庫高を算出する式は、以下のとおりである。

月初適正在庫高　＝当月売上高予算＋年間平均在庫高−月平均売上高予算
年間平均在庫高　＝2,400÷6＝400（万円）
月平均売上高予算＝2,400÷12＝200（万円）
月初適正在庫高　＝250＋400−200＝**450**（万円）

　イ

基準在庫法は、年間平均在庫高に、当月売上高予算と月平均売上高予算の差を「**額**」で反映させる方法です。一方、百分率変位法は、「**率**（具体的には、差の半分）」で反映させる方法です。

重要度 **B** 売価値入率

R2-30

　下表の5種類の商品を仕入れて販売することを計画している。

　商品A～Eの中で、同じ売価に設定される商品が2つある。この2つの商品について、仕入れた数量をすべて設定した売価で販売したときの粗利益額の合計として、最も適切なものを下記の解答群から選べ。なお、それぞれの商品の売価は、売価値入率により設定されるものとする。

	仕入単価	仕入数量	売価値入率
商品A	480円	50個	20%
商品B	300円	60個	40%
商品C	300円	100個	50%
商品D	800円	30個	20%
商品E	600円	40個	50%

〔解答群〕

　ア　12,000円

　イ　36,000円

　ウ　42,000円

　エ　60,000円

　オ　90,000円

解 説

与えられたデータより、まず各商品の売価を算出し、同じ売価に設定されている2つの商品を特定する必要がある。売価の算出においては、下図のようにボックス図を活用してミスをしないよう留意したい。

（例）商品Aの売価の算出

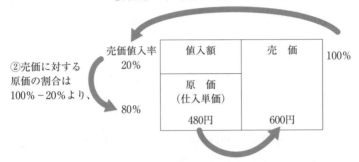

①売価値入率（売価に対する値入額の割合）は設問より、

②売価に対する原価の割合は100％−20％より、

③原価は売価の80％だから、売価は480÷0.8より、

各商品の売価は以下のとおりである。

	仕入単価	売価値入率	売 価
商品A	480円	20％	600円
商品B	300円	40％	500円
商品C	300円	50％	600円
商品D	800円	20％	1,000円
商品E	600円	50％	1,200円

以上より、売価が同じ商品AとCについて、仕入れた数量をすべて設定した売価で販売したときの粗利益額の合計を算出する。

商品Aの粗利益額：600円×20％×50個＝6,000円

商品Cの粗利益額：600円×50％×100個＝30,000円

商品AとCの粗利益額合計＝6,000円＋30,000円＝36,000円

正解　イ

講師より

「売価値入率」と「原価値入率」を混同していないか、本問を通じて確認しましょう。また、生産管理の「外掛け法」と「内掛け法」についても併せて復習しておきましょう。

重要度 Ⓒ GMROI H23-32

商品予算計画に関する算出数値として、<u>最も不適切なもの</u>はどれか。

ア 1,800円で仕入れた商品を売価値入率25％で販売する場合、販売価格は2,400円である。

イ ある小売店の１年間の粗利益高が1,300万円、年間平均在庫高（原価）が500万円である場合、GMROIは260％である。

ウ ある商品の売上高粗利益率が30％であり、商品回転率が６回転である場合に、交差主義比率は５％である。

エ 期首商品棚卸高600万円、期末商品棚卸高400万円、年間売上高3,000万円の場合に、商品回転率を求めると、６回転である。

ア ◯

売上値入率をもとに原価値入率を算出すると、次のようになる。

$$原価値入率（％）＝\frac{売価値入率（％）}{100％－売価値入率（％）}＝\frac{25％}{75％}＝\frac{1}{3}$$

この原価値入率をもとに、値入額を算出する。

$$値入額＝原価×原価値入率＝1,800×\frac{1}{3}＝600 \quad よって、$$

販売価格＝原価＋値入額＝1,800＋600＝2,400

イ ◯

GMROIは次の式で算出される。

$$GMROI（％）＝\frac{売上総利益}{平均在庫高（原価）}×100＝\frac{1,300}{500}×100＝260％$$

ウ ✕

与えられた商品回転率が原価基準で算出されたとした場合、値入率が与えられていないことから、交差比率の検証ができないため、売価基準で算出されたものとして考える。

$$交差比率（％）＝\frac{売上総利益}{平均在庫高（売価）}＝\frac{売上総利益}{売上高}×\frac{売上高}{平均在庫高（売価）}$$
$$＝売上総利益率（％）×商品回転率＝30％×6＝180％$$

商品回転率が売価基準だとした場合、交差比率は**180％**となる。

エ ◯

期首商品棚卸高および期末商品棚卸高が売価基準であるとし、商品回転率を算出すると、次のようになる。

$$商品回転率（回）＝\frac{売上高}{平均商品棚卸高}＝\frac{3,000}{500}＝6 回$$

正解　ウ

講師より

商品予算計画の各計算問題で使う算出式は、どうしても忘れがちです。GMROIや交差比率、在庫高予算（基準在庫法、百分率変位法）など各種の算出式をまとめておき、本試験直前にはひととおり確認し、本問などで実際に計算して復習するとよいでしょう。

店舗Xのある月の営業実績は下表のとおりである。この表から計算される相乗積に関する記述として、最も適切なものを下記の解答群から選べ。

商品カテゴリー	販売金額 （万円）	販売金額 構成比（％）	粗利益率 （％）
カテゴリーA	500	25	20
カテゴリーB	300	15	20
カテゴリーC	200	10	30
カテゴリーD	600	30	40
カテゴリーE	400	20	50
合　計	2,000	100	

〔解答群〕

ア カテゴリーA～Eの合計の販売金額が2倍になると、各カテゴリーの相乗積の合計も2倍になる。

イ カテゴリーAの相乗積は50％である。

ウ カテゴリーAの販売金額も粗利益率も変わらず、他のカテゴリーの販売金額が増加すると、カテゴリーAの相乗積は減少する。

エ カテゴリーBはカテゴリーCよりも相乗積が大きい。

オ 相乗積が最も大きいカテゴリーは、カテゴリーEである。

解説

相乗積は、以下の式で算出される。

> 相乗積＝部門粗利益率×部門売上構成比

すなわち、全社の粗利益率のうち、何ポイントがその部門（本問では"カテゴリー"）の貢献によるものかを示す指標である。なお本問のカテゴリーごとの相乗積は、以下のとおりである。

商品カテゴリー	販売金額 （万円）	販売金額 構成比（％）	粗利益率 （％）	粗利益額	相乗積 （％）
カテゴリーA	500	25	20	100	5
カテゴリーB	300	15	20	60	3
カテゴリーC	200	10	30	60	3
カテゴリーD	600	30	40	240	12
カテゴリーE	400	20	50	200	10
合　計	2,000	100	33	660	33

全社の粗利益率33％のうち、5ポイント分はカテゴリーAによる貢献であることがわかる。

ア ✗

全てのカテゴリーの粗利益率が等しく2倍になるなどの場合でないと、**必ずしも2倍になるとは限らない。**

イ ✗

上図のとおり、カテゴリーAの相乗積は**5％**である。

ウ 〇

カテゴリーAの販売金額が変わらずに、他のカテゴリーの販売金額が増加すると、カテゴリーAの販売金額構成比は当然に低下する。カテゴリーAの粗利益率は不変であるから、相乗積の算出式にあてはめると、カテゴリーAの相乗積が低下することが確認できる。

部門粗利益率(不変)×部門売上構成比(低下)

→したがって相乗積は低下する。

エ ✗

上図のとおり、カテゴリーBとCの相乗積は3％で**等しい。**

113

オ ✘

上図のとおり、相乗積が最も大きいのは**カテゴリーD**の12%である。

上記のとおり、本問において正答**ウ**を選択するためには、相乗積を算出するなどの計算処理は一切必要がない。

 ウ

![講師より]

　本問のように「実は計算する必要がなかった！」という設問も、よくあります。近年、図の読み取りなど処理を伴う設問が増えているなかで、無駄な労力をかけず効率的に正答にたどり着くことを意識しましょう。もちろん時間が許すのであれば、検算などでミスがないか二重にチェックすることも重要です。

MEMO

重要度Ⓐ **価格政策** R4-30

小売業の価格政策と特売に関する記述として、最も適切なものはどれか。

ア EDLP政策の場合、プライスラインは1つしか設けない。

イ 定番価格を高く設定していても、特売を頻繁に繰り返すと顧客の内的参照価格は低下する。

ウ 特売による販売促進は、価格弾力性が低い商品ほどチラシなどで告知したときの集客効果が高い。

エ ハイ・ロープライシング政策では、特売時における対象商品の販売数量を最大化することで店全体の利益率が高まる。

オ 端数価格には、買物客に安さを感じさせる心理的効果はない。

ア ✗

EDLP（Everyday Low Price）戦略において、「よく売れる値頃」価格であるプライスラインを１つだけに絞るとは必ずしもいえない。

イ ○

特売を頻繁に繰り返すことにより、顧客がその商品を購入する基準として記憶している**内的参照価格**が、**特売の価格で記憶され低下していってしまう**。

ウ ✗

「価格の弾力性が低い」場合、特売などにより価格を下げても需要の増加効果が小さい。したがって、むしろ**価格弾力性が高い商品ほど**チラシなどで告知したときの集客効果が高いといえる。

エ ✗

特売実施により集客が増加し売上増加を期待するが、通常より利益率が下がっている特売対象商品の販売数量が最大化することで、むしろ**店全体の利益率が低下すること**も考えられる。

オ ✗

1,000円ではなく980円のように端数にすることで、安さを感じさせる心理的効果を狙っている。

 イ

価格政策について横断的な知識を問う本問で、理解度を確認しておきましょう。

重要度 **B** I S P

インストアプロモーションに関する次の文章の空欄A〜Dに入る語句として、最も適切なものの組み合わせを下記の解答群から選べ。

特売は、インストアプロモーションの中でも　A　に売上を増加させるために有効である。価格弾力性が　B　商品は、　C　商品と比べて同じ値引率での売上の増加幅が大きい。ただし、特売を長期間継続した場合は、消費者の　D　が低下するため、特売を実施する際に注意が必要である。

〔解答群〕

ア　A：短期的　B：小さい　C：大きい　D：外的参照価格

イ　A：短期的　B：大きい　C：小さい　D：内的参照価格

ウ　A：短期的　B：大きい　C：小さい　D：外的参照価格

エ　A：長期的　B：小さい　C：大きい　D：内的参照価格

オ　A：長期的　B：小さい　C：大きい　D：外的参照価格

　インストアプロモーション（ISP）とは、小売店内における販売促進活動のことである。店頭で積極的な提案を行うことで、顧客の購買動機形成や意志決定のプロセスに直接影響を及ぼそうとする活動である。価格主導型と非価格主導型に分類でき、本問でテーマとなっている「特売」は価格主導型ISPの代表的な手法である。

　特売は即効性があるため、空欄Aは**「短期的」**が該当する。また、価格低下により需要が大きく伸びる商品に効果がより顕著に表れるため、空欄Bは**「大きい」**、空欄Cは**「小さい」**が該当する。空欄Dには、消費者がこれまでの購買経験で記憶している特定商品の価格である**「内的参照価格」**が該当する。

　よって、**イ**が正解である。

 正解　イ

 講師より

　インストアマーチャンダイジング（ISM）は、毎年出題される重要論点です。ISMの2本柱として「ISP」と「スペースマネジメント」があることは、確実に覚えましょう。また、ISPには「価格主導型」と「非価格主導型」の2種があることと、具体的にどのような手法があるのかを覚えましょう。

重要度 Ⓐ **ピッキング方式**

H25-35

　物流センターにおけるピッキング方式に関する説明として、最も適切なものの組み合わせを下記の解答群から選べ。

a　シングルピッキング方式とは、1人の作業者が受注単位ごとに保管場所を周回して、ピッキング作業を完結する摘み取り型のピッキング方式である。

b　品種別ピッキング方式とは、複数の作業者がその作業範囲を分担し、それぞれが中継してピッキング作業を完結させる方式である。

c　品種別・オーダー別複合ピッキング方式とは、受注を一定受注先数ごとに集約して、品種単位にまとめてピッキングし、その直後に商品を受注先ごとに仕分ける作業を繰り返す方式である。

d　リレー式ピッキング方式とは、受注を集約して品種単位にまとめてピッキングし、そのピッキングした商品を後工程でオーダー先ごとに仕分ける種まき型のピッキング方式である。

〔**解答群**〕
　ア　a と b
　イ　a と c
　ウ　a と d
　エ　b と c
　オ　b と d

解 説

a ○

　シングルピッキング方式は、顧客となる店舗や注文先別に、1人の作業者が保管場所を周回して集品する摘み取り型のピッキング方式で、オーダー（別）ピッキングともよばれる。

b ✕

　本肢は、**リレー式ピッキング方式**の説明である。リレー式ピッキング方式とは、シングルピッキング方式のもつ作業者の移動距離が長くなるという欠点を解消するために、複数の作業者が担当の作業範囲を決め、1人が担当作業範囲でのピッキングを終えたら、次の作業範囲の担当者にコンテナを受け渡すというピッキング方式である。作業者の移動距離は少なくなり、複数店舗のピッキング作業を同時に行うことができる半面、作業者間の作業習熟度に差がある場合は、滞留が発生する可能性もある。

c ○

　品種別・オーダー別複合ピッキング方式は、品種別ピッキング方式とシングルピッキング方式の折衷型で、受注を一定の基準で集約し、品種単位ごとにまとめてピッキングし、直後に商品を受注先別に仕分ける、という作業サイクルを繰り返す方式である。

d ✕

　本肢は、**品種別ピッキング方式**の説明である。品種別ピッキング方式は、受注を集約した後、それらの受注において出荷される商品ごとにまとめてピッキングし、受注先ごとに仕分けるという作業を繰り返すという、種まき型のピッキング方式である。

正解　イ

講師より

　各ピッキング方式が、どのような注文状況（注文先の多少、多品種少量／少品種多量の別など）に適しているかを押さえましょう。

重要度 **Ⓐ** 物流センターの運営　　　R2-38

物流センターの運営に関する記述として、最も適切なものはどれか。

ア ASN（Advanced Shipping Notice）は、荷受側が商品の入荷前に作成する入荷情報のことである。

イ スーパーで主に利用されているプロセスセンターは、商品を加工し包装する物流施設である。

ウ トラック運転者が集品先または納品先の荷主の倉庫内で付帯作業を行うことは、法律で禁止されており、契約で定めてはならない。

エ ピッキングする商品品目数がオーダー数より多い場合には、摘み取り方式ではなく種まき方式で行うのが一般的である。

オ 複数の取引先へ同時に出荷する商品が一度に入荷した場合、入荷時に検品すれば、出荷時の検品を省略することができる。

ア　×

　ASN（Advanced Shipping Notice）すなわち事前出荷明細は、**出荷側が商品の出荷情報**を、商品が**荷受側に到着する前**に通知するものである。

イ　○

　プロセスセンター（PC）とは、食品のカットや包装、アパレルの値付けなどの流通加工を行う物流センターのことである。

ウ　×

　付帯作業を行うことは法律で**禁止されていない**。なお付帯作業とは、例として荷造りや仕分けなどの作業を指す。

エ　×

　ピッキングする商品品目数がオーダーより多い場合には、一般的には多品種少量（商品品目数＞オーダー数）で注文先が多い場合に適する**摘み取り方式（シングルピッキング）**で行う。

オ　×

　どの取引先にいくつ送るのかは、**出荷時にも検品する必要がある**。

 正 解　**イ**

👨‍🏫 講師より

　物流・輸配送管理の論点では、本問のようにピッキングと物流センターがよく問われます。網羅的に学べる本問を通じて対策しておきましょう。

重要度 **A** ユニットロード R2-37

物流におけるユニットロードおよびその搬送機器に関する記述として、最も適切なものはどれか。

ア コンテナは、複合一貫輸送をする際には使用することができない。

イ 平パレットには、長さと幅についてさまざまな種類があり、日本産業規格（JIS）で規格化されているものはない。

ウ 平パレットを使用する場合は、使用しない場合に比べて、積み込みや取り卸しなどの荷役効率が高い。

エ ユニットロード化を推進することにより、パレットやコンテナなどの機器を利用しないで済むようになる。

オ ロールボックスパレットには、大きさが異なる荷物を積載することができない。

ア ✕

複合一貫輸送とは、トラック、船舶、鉄道等の複数の輸送手段を組み合わせて行う輸送である。幹線道路沿いでは、船積みコンテナを載せたトラックが走る姿も多く見られるように、**複合一貫輸送においては広くコンテナが活用されている。**

イ ✕

長さや幅などが異なるさまざまな種類の平パレットが混在して流通しているのが実情ではあるが、「一貫輸送用平パレット」として1100×1100×144mmのT11型パレットが**日本産業規格（JIS）で規格化されている。**

ウ ◯

大小さまざまな形の荷物も、パレットに載せて荷姿を安定させることで作業標準化ができ、さらにフォークリフトで一度に取り扱うなど複数の荷物をまとめて処理できるため、荷役効率が高くなる。

エ ✕

ユニットロードでは、パレットやコンテナなどの機器を活用してユニット化することで輸送効率を高める。したがってユニットロード化を推進することは、むしろ**パレットなどの利用度が高くなる。**

オ ✕

ロールボックスパレットとは、三方を柵で囲い、一方が開口されたキャスター付きの台車のことで、一般に「カゴ台車」などともよばれる。柵で囲まれた範囲内であれば**大きさが異なる荷物でも積載できる。**

ロールボックスパレット

一般社団法人日本パレット協会「パレットとは」https://www.jpa-pallet.or.jp/about/

125

講師より

　ユニットロードは、近年、毎年のように出題されている重要論点です。出題された場合、それほどの難問になることは考えにくいですが、見慣れない用語が選択肢上に出現することもしばしばあります。そのような場合でも落ち着いて、選択肢が示す状況をイメージして正解肢へ絞っていきましょう。

MEMO

重要度 **Ⓐ** 輸送手段と輸送ネットワーク R5-33

　輸送手段と輸送ネットワークの特徴に関する記述として、最も適切なものはどれか。

ア 鉄道貨物駅における着発線荷役（E&S：Effective & Speedy）方式は、貨車を架線のある着発線から架線のない荷役線に移動させてからコンテナを積み卸す荷役方式である。

イ トラック輸送の契約に関する「標準貨物自動車運送約款」では、運賃を積込みや取卸しを含む運送の対価であると規定している。

ウ 日本全体の二酸化炭素排出量は鉄道輸送よりもトラック輸送の方が多いが、輸送トンキロ当たりの二酸化炭素排出量は鉄道輸送よりもトラック輸送の方が少ない。

エ ハブ・アンド・スポーク型の輸送ネットワークの特徴は、最終目的地まで直行輸送することである。

オ 複合一貫輸送の例として、トラックとRORO船を利用して陸路と海路を組み合わせる輸送形態がある。

ア ✕

　着発線荷役方式とは、鉄道貨物輸送において、貨物列車が到着して出発する線路（＝着発線）で荷役（積み下ろし）作業を行う方式のことである。この方式では、貨物列車が専用の荷役線に移動することなく、到着した線路でそのまま貨物の積み降ろしを行うため、列車の移動が少なくなり時間やコストの削減につながる。

イ ✕

　「標準貨物自動車運送約款」の規定では、積込みや取卸しなど、**運送以外の役務への対価は「運賃」には含まない。**

ウ ✕

　輸送トンキロ当たりの二酸化炭素排出量、つまり１トンの貨物を１km運ぶ際に排出される二酸化炭素の排出量は、**トラック輸送よりも鉄道輸送のほうが少ない。**前半の記述は正しい。

エ ✕

　ハブ・アンド・スポーク型の輸送ネットワークでは、中心となる主要な拠点（ハブ）から各地域への分散点（スポーク）に向かって輸送が行われる。自転車の車輪の中心（ハブ）と、外側の輪を繋ぐ棒（スポーク）にたとえている。選択肢の内容は、下図のポイント・トゥ・ポイントシステムに近い。

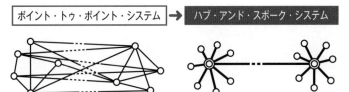

オ ◯

　複合一貫輸送は、複数の輸送手段（トラック、鉄道、船など）を組み合わせて効率的に貨物を輸送する方法である。政府は、環境負荷の低減や輸送効率の向上を目的として、これを支援している。なおRORO船とは、貨物を積載したトラックやトレーラーをそのまま船内に積み込み、輸送できる船

舶のことである。

RORO船：荷を載せたトラックごと輸送

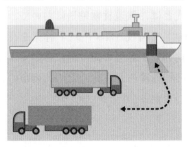

正解　オ

　物流戦略の論点では、主要な輸送手段については必ず理解しておきましょう。また二
酸化炭素排出量の削減や、少子高齢化に対応するための省人化といった根底にある課題
をおさえておけば、初見の用語にも対応しやすくなります。

MEMO

重要度 **B** 商品の販売データ分析 H24-40

商品の販売データの分析に関する記述として、<u>最も不適切なものはどれか</u>。

ア いったん「売れ筋」商品と位置づけられた商品であっても、条件が変われば「死に筋」商品になる可能性がある。

イ いわゆる「ロングテール現象」とは、インターネット通信販売などにおいて、「死に筋」商品の売上をすべて合計すると大きな売上が得られるという現象を指す。

ウ 小売店舗の売場面積は限られているために、交差比率の低い「死に筋」商品を排除することが重要である。

エ 販売数量を期待できないが、他の商品の販売促進効果が期待できる商品群を「見せ筋」ということがある。

ア ○

　売れ筋商品は、売上が大きい商品を意味する場合と、売上も粗利益も大きい商品を意味する場合があるが、いずれも気候要因や社会地域的要因、流行などにより、死に筋商品になってしまう可能性がある。

イ ○

　ロングテール現象とは、死に筋商品やニッチ商品の販売額の合計が、ヒット商品の販売額の合計を上回る現象で、主にインターネットを介した通信販売に起きやすい。売場スペースが無限にあるネット販売では、少量多品種の商品を多く扱うことができ、実在庫はもたず、または、安い地代の場所に在庫をするなどの工夫で、流通コストや在庫コストを抑えることが可能であるため、ヒット商品の大量販売に依存することなく、収益を上げるビジネスモデルの構築が可能となった。

ウ ✕

　一般に小売店舗の売場面積は限られていることから、効率の良い売場を計画する際には、「死に筋商品」の排除が検討される。しかし、カテゴリーマネジメントを実施している場合には、死に筋商品であっても、その商品がカテゴリーを構成する重要なアイテムであれば、取り扱う品目として**排除するべきではない**。また店頭に並べ始めたばかりの新商品の場合、POSデータを抽出する対象期間において十分な売上を達成できていないという可能性もあり、排除する前に「死に筋商品であるかの検証」が必要となる場合もある。

エ ○

　見せ筋商品とは、客寄せの目的で、売れることを期待せずに取り扱われる商品のことである。死に筋商品であっても売れ筋商品をさらに告知するような販売促進効果が期待できれば、見せ筋商品として店頭に並べておくこともある。

 ウ

講師より

　POSデータのマーチャンダイジングへの活用においては、本問の「売れ筋」「死に筋」の論点のほかに、価格以外で売上に影響を与える要因である「コーザルデータ」や、来店客数の影響を除外して商品の販売実績を評価する指標である「PI値」についても押さえておきたいです。
　また、教科書外の知識を使う必要があることも、本問を通じて体感しましょう。

MEMO

重要度 **A** 顧客セグメント分析 R5-40

あるスーパーマーケットでは、直近3年分のID-POSデータ、およびそれに連動した顧客属性データを蓄積している。いま、このスーパーマーケットでは、CRMを強化するため、購買金額や購買頻度などからロイヤルカスタマーを定義したいと考えている。

このとき、ロイヤルカスタマーを定義する方法に関する記述として、最も適切なものはどれか。なお、以下の方法を実行する際に必要となるデータ項目は、すべて利用可能であるとする。

ア ID-POSデータからRFM分析を行い、適切な分割数を設定していずれの項目でもランクの高い顧客をロイヤルカスタマーとして定義する。

イ ID-POSデータから、各商品の売上金額ベースのABC分析を行い、Aランクの商品のみを購買している顧客をロイヤルカスタマーとして定義する。

ウ 各顧客について日別の購買金額を算出し、全期間における標準偏差を計算する。この標準偏差の値でデシル分析を行い、最も標準偏差の大きな顧客群をロイヤルカスタマーとして定義する。

エ 顧客属性データから、顧客の年齢と性別のデータを用いて、k平均法で10のクラスターを形成し、顧客の所属が最も多いクラスターをロイヤルカスタマーとして定義する。

オ 顧客属性データから、顧客の年齢のデータを用いてデシル分析を行い、年代層が一番高い顧客群をロイヤルカスタマーとして定義する。

設問内に「購買金額や購買頻度などからロイヤルカスタマーを定義したい」とあることから、顧客セグメント分析、特にRFM分析に関する設問であることがわかる。

ア 〇

RFM分析とは、顧客をRecency（直近購買日）、Frequency（購買頻度）、Monetary（一定期間の購買金額）の組み合わせで得点化し、ランク分けする分析手法である。

イ ✕

ABC分析で各商品を売上の多い順に3グループに分けて、最も多いAランクの商品のみを購買していても、購買金額や購買頻度が高いかはわからないため不適切である。

ウ ✕

日別の購買金額の標準偏差が大きい、つまりバラツキが大きくても、購買金額や購買頻度が高いかわからないため不適切である。なおデシル分析では、顧客を購買金額の多い順に並べて10等分し（デシル1～10）、上位のデシルに属する顧客を優良とみなす。

エ ✕

k平均法（k-means）とは、購買履歴などを基に顧客をk個のクラスタに分け、各クラスタの中心（重心）から顧客までの距離を最小化するように繰り返し計算する手法である。似た行動や特性を持つ顧客グループを識別することができるが、それですなわち購買金額や購買頻度が高いかはわからないため不適切である。

オ ✕

年代層が高いからといって購買金額や購買頻度が高いかはわからないため不適切である。

 正解 ア

販売流通情報システムの中では、頻出論点であるID-POSデータに基づくRFM分析や、さらにその具体的な活用先としてのFSPについて、しっかり理解しておきましょう。バーコードなど無機質で覚えるのが大変な論点も多い領域ですが、私たちが普段から生活者として触れているISMなどに活用されていることがわかり、ほんの少し身近に感じることができますね。

MEMO

重要度 Ⓐ **マーケットバスケット分析**　R4-39

　ある小売店の一定期間におけるPOSシステムから得られた1,000件のレシートデータを分析する。このとき、商品 a と商品 b の購買パターンについて、下表のような結果が得られたとする。下記の設問に答えよ。

購買した商品	レシート件数
商品 a のみ	350件
商品 b のみ	50件
商品 a と商品 b の両方	250件

設問1

　商品 a と商品 b の購買パターンについての評価指標に関する記述として、最も適切なものはどれか。

ア　商品 a からみた商品 b の信頼度（コンフィデンス）は、$\dfrac{5}{9}$である。

イ　商品 a と商品 b を併買したパターンの支持度（サポート）は、0.25である。

ウ　商品 a を購買したパターンの支持度（サポート）は、0.45である。

エ　商品 b からみた商品 a の信頼度（コンフィデンス）は、$\dfrac{5}{7}$である。

オ　商品 b を購買したパターンの支持度（サポート）は、0.35である。

設問2

　商品aと商品bを併買した購買パターンのリフト値として、最も適切なものはどれか。

ア $\dfrac{3}{10}$

イ $\dfrac{5}{13}$

ウ $\dfrac{5}{9}$

エ $\dfrac{5}{6}$

オ $\dfrac{25}{18}$

設問1

まず、与えられたデータから図を使って状況を整理し、単純ミスを予防したい。

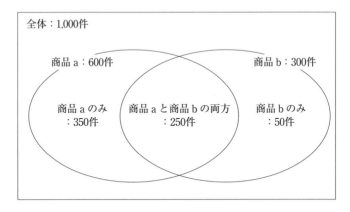

全体：1,000件

商品 a：600件 　　　　　　　　　　　　　商品 b：300件

商品 a のみ　　　商品 a と商品 b の両方　　　商品 b のみ
：350件　　　　　　：250件　　　　　　　　：50件

ア ✖

商品 a からみた b の信頼度、つまり商品 a が購買された件数のうち、商品 b が同時に購買される割合は、下記の算出式で求める。

信頼度（a→b）＝商品 a と b の両方を購買／商品 a を購買

$$= 250 / 600$$

$$= 5 / 12$$

イ 〇

商品 a と b を併買したパターンの支持度、つまり全レシート件数のうち商品 a と b を両方購買した割合は、下記の算出式で求める。

支持度＝商品 a と b の両方を購買／全レシート件数

$$= 250 / 1,000$$

$$= \mathbf{0.25}$$

ウ ✖

商品 a を購買したパターンの支持度、つまり全レシート件数のうち商品 a を購買した割合は、下記の算出式で求める。

支持度＝商品 a を購買した件数／全レシート件数

$$= 600 / 1,000$$
$$= 0.6$$

エ ✖

　商品 b からみた a の信頼度、つまり商品 b が購買された件数のうち、商品 a が同時に購買される割合は、下記の算出式で求める。

信頼度（b → a）＝商品 a と b の両方を購買／商品 b を購買
$$= 250 / 300$$
$$= 5 / 6$$

オ ✖

　商品 b を購買したパターンの支持度、つまり全レシート件数のうち商品 b を購買した割合は、下記の算出式で求める。

支持度＝商品 b を購買した件数／全レシート件数
$$= 300 / 1,000$$
$$= 0.3$$

 正解　**イ**

　設問2

　商品 a と b を併買した購買パターンのリフト値、つまり商品 a（または b）を購入した件数のうち商品 b（または a）が購入される割合（＝信頼度）が、全レシート件数のうち商品 b（または a）の何倍になるかを示す値は、下記の算出式で求める。

リフト値（a → b）＝信頼度（a → b）÷商品 b を購買した件数／全レシート件数
$$= 5 / 12 \div 3 / 10$$
$$= 25 / 18$$

 正解　**オ**

　👨‍🏫 **講師より**

　近年の本試験では、すっかり定番となっているマーケットバスケット分析の問題です。まずは「支持度、信頼度、リフト値」の順番を頭に叩き込み、各指標の算出式の意味するところを理解しながら覚えましょう。

重要度 Ⓐ **GS１事業者コードとＪＡＮコード** R2-39

　GS1事業者コードおよびJANコード（GTIN）に関する記述として、最も適切なものはどれか。

ア　JANコードには、標準タイプ（13桁）と短縮タイプ（11桁）の２つの種類がある。

イ　JANコードは「どの事業者の、どの商品か」を表す、日本国内のみで通用する商品識別番号である。

ウ　JANコード標準タイプ（GTIN-13）は、①GS1事業者コード、②商品アイテムコード、③チェックデジットで構成されている。

エ　集合包装用商品コード（GTIN-14）は、JANコード標準タイプ（GTIN-13）の先頭に数字の０〜９、またはアルファベット小文字のa〜zのいずれかのコードを、インジケータとして１桁追加し、集合包装の入数や荷姿などを表現できるようにしたコードである。

オ　商品アイテム数が増えてコードが足りなくなったときは、JANコードの重複が発生したとしても、GS1事業者コードの追加登録申請は認められていない。

ア ✗

JANコードには、標準タイプ（13桁）と短縮タイプ（**8桁**）の2つの種類がある。

イ ✗

JANコードは**国際的な共通商品コード**である。国際的にはEAN（European Article Number）とよばれ、アメリカやカナダにおけるUPC（Universal Product Code）と互換性がある。

ウ ◯

選択肢の記載内容どおりである。

エ ✗

前提として、集合包装用商品コード（GTIN-14）は数字（0〜9）のみを扱える。したがって**アルファベット小文字は扱えない**。また先頭のインジケータは**1〜8**の数字が扱える。

オ ✗

商品アイテム数が増えてコードが足りなくなったときは、GS1事業者コードの追加登録申請が**行える**。

 正解　ウ

講師より

　バーコードの論点は毎年複数の出題があります。本問のようなスタンダードな設問で、基本をしっかりと身につけましょう。

重要度Ⓐ **商品コード（GTIN）** R4-37

商品コード（GTIN）に関する記述として、最も適切なものはどれか。

ア JANコードは国内のみで通用するコードであるので、例えばヨーロッパへ輸出する際にはEANコードなども別に表示する必要がある。

イ インストアマーキングは、バーコードの中に価格データが入っていない「PLU」タイプと、バーコードの中に価格データが入っている「NonPLU」タイプの2種類に分けられる。

ウ 商品が製造または出荷される段階で、製造業者または発売元が商品包装にJANコードをJANシンボルにより表示することを、インストアマーキングという。

エ ソースマーキングを行う際、先頭の2桁と最後の1桁以外は申請などをしなくても、自社商品や管理ルールに合わせた番号を自由に割り振ることが可能である。

オ 日本の企業のブランドで販売される場合であっても、実際の製造が海外で行われる商品には原産国の国番号を表示しなければならない。

ア ✕

JANコードは、**国際的にはEAN**（European Article Number）**コードとよ
ばれる国際的な共通商品コード**である。

イ ○

選択肢の記載内容どおりである。

ウ ✕

インストアマーキングではなく、**ソースマーキング**が正しい。

エ ✕

ソースマーキングを行うためにJANコードを導入する場合、まず一般財
団法人流通システム開発センターに申請し、**GS1事業者コードを取得する
必要がある。**

オ ✕

国番号は、商品の供給元（ブランドを保有する企業、製造元、発売元、輸入元
など）がどの国の企業かを表わす。**原産国を表わすものではない。**

 イ

![講師より]

　GTINの運用ルールについては近年改訂があったということもあり、比較的問われや
すくなっています。さまざまな角度から理解を確認しておきましょう。

重要度 **B** 電子タグ

R3-42

電子タグを活用して商品を個体で管理するために必要なコードが、GS1標準の識別コードに対応して整備されている。これらのコードに関する以下の文章において、空欄A〜Cに入る略語の組み合わせとして、最も適切なものを下記の解答群から選べ。

A は、GS1で標準化された電子タグに書き込むための識別コードの総称であり、 B 等のGS1が定める標準識別コードが基礎となっている。そのため、既存のバーコードシステムとの整合性を確保しながら、電子タグシステムを構築することが可能である。

A の一例である C は、商品識別コードである B にシリアル番号（連続番号）を付加したものであり、 B が同じ商品でもそれぞれ1つ1つを個別に識別することが可能である。

〔解答群〕

ア A：EPC　　B：GRAI　　C：SSCC

イ A：EPC　　B：GTIN　　C：SGTIN

ウ A：EPC　　B：GTIN　　C：SSCC

エ A：GCN　　B：GRAI　　C：SSCC

オ A：GCN　　B：GTIN　　C：SGTIN

空欄A

空欄Aには「EPC」が入る。EPCは、Electronic Product Codeの略で、GS1で標準化された電子タグに書き込むための識別コードの総称である。

空欄B

空欄Bには「GTIN」が入る。EPCは、GTINなどGS1が定める標準識別コードが基礎となっているため、既存のバーコードシステムとの整合性を確保しながら、電子タグシステムを構築することが可能である。

空欄C

空欄Cには「SGTIN」が入る。SGTINは、Serialized Global Trade Item Numberの略である。商品識別コードである**GTINに、シリアル番号（連続番号）を付加したもの**（Serialized）であり、GTINが同じ商品でも、それぞれ1つ1つを個別に認識することが可能である。

 正解 イ

 講師より

RFID（Radio Frequency Identification：無線周波による自動識別技術）を使った電子タグ（ICタグ）の普及に伴い、コンスタントに出題されている論点です。基本的な用語をしっかりおさえておきましょう！

MEMO

MEMO